李叔同

作品精选

永不泯灭的文学经典

李叔同 著

长江出版传媒 | 崇文书局

目录

劫海普度

梵音雷动

梦花情真

国魂浩荡

长亭古道

浮生真谛

空门奇瑰

李叔同作品精选·飞鸿掠影

你们将来如要编写《中国话剧史》，不要忘记天津的李叔同，即出家后的弘一法师。他是传播西洋绘画、音乐、戏剧到中国来的先驱。

——周恩来嘱咐曹禺

西湖夜游记

壬子七月，予重来杭州，客师范学舍。残暑未歇，庭树肇秋，高楼当风，竟夕寂坐。越六日，偕姜、夏二先生游西湖。于时晚晖落红，暮山被紫，游众星散，流萤出林。湖岸风来，轻裾致爽。乃入湖上某亭，命治茗具。又有菱芰，陈粲盈几。短童侍坐，狂客披襟，申眉高谈，乐说旧事。庄谐杂作，继以长啸，林鸟惊飞，残灯不华。起视明湖，莹然一碧；远峰苍苍，若现若隐，颇涉遐想，因忆旧游。曩岁来杭，故旧交集，文子耀斋，田子毅侯，时相过从，辄饮湖上。岁月如流，倏逾九稔。生者流离，逝者不作，坠欢莫拾，酒痕在衣。刘孝标云："魂魄一去，将同秋草。"吾生渺茫，可喟然感矣。漏下三箭，秉烛言归。星辰在天，万籁俱寂，野火暗暗，疑似青磷；垂杨沈沈，有如酣睡。归来篝灯，斗室无寐，秋声如雨，我劳何如？目瞑意倦，濡笔记之。

（本文一九一二年八月作于浙江杭州浙江一师）

梦

哀游子茕茕其无依兮，在天之涯。

惟长夜漫漫而独寐兮，时恍惚以魂驰。梦偃卧摇篮以啼笑兮，似婴儿时。

母食我甘饴与粉饵兮，父衣我以彩衣。

哀游子怆怆而自怜兮，吊形影悲。

惟长夜漫漫而独寐兮，时恍惚以魂驰。梦挥泪出门辞父母兮，叹生别离。

父语我眠食宜珍重兮，母语我以早归。

月落乌啼，梦影依稀，往事知不知？汨半生哀乐之长逝兮，感亲之恩其永垂。

清凉歌五首[①]

（一）清凉

清凉月，月到天心光明殊皎洁。今唱清凉歌，心地光明一笑呵。清凉风，凉风解愠暑气已无踪。今唱清凉歌，热恼消除万物和。清凉水，清水一渠涤荡诸污秽。今唱清凉歌，身心无垢乐如何。清凉，清凉，无上究竟真常。

（二）山色

近观山色苍然青，其色如蓝。远观山色郁然翠，如蓝成靛。山色非变，山色如故，目力有长短，由近渐远，易青为翠。自远渐近，易翠为青。时常更换，是由缘会。幻想现前，非幻翠幻，而青亦幻。是幻，是幻，万法皆然。

（三）花香

庭中百合花开，昼有香香淡如，入夜来香乃烈。鼻观是一，何以昼夜浓淡有殊别。白昼众喧动，纷纷俗务萦。目视色，俗务萦。目视色，耳听声，鼻观之力，分于耳目丧其灵。心清闻妙香，用志不分，乃凝于神，古训好参详。

（四）世梦

却来观世间，犹如梦中事。人生自少而壮，自壮而老。俄入胞胎，俄出胞胎，又入又出无穷已。生不知来，死不知去，蒙蒙然，冥冥然，千生万劫不自知。非真梦欤。枕上片时春梦中，行尽江南数千里。今贪名利，梯山航海，岂必枕上尔。庄生梦蝴蝶，孔子梦周公，梦时固是梦，醒时何非梦。旷大劫来，一时一刻皆梦中。破尽无明，大觉能仁，如是乃为梦醒汉，如是乃名无上尊。

（五）观心

世间学问义理浅，头绪多似易而反难。出世学问义理深，线索一虽难而似易，线索为何，现在一念心性应寻觅。试观心性，在内欤，在外欤，在中间欤，过去欤，现在欤，或未来欤，长短方圆欤，青黄赤白欤，觅心了不可得，便悟自性真常。是应直下信入，未可错下承当。试观心性，内外中间，过去现在未来，长短方圆，青黄赤白。

---

① 本组歌曲由弘一大师作词，潘伯英作曲，一九二九年八月作于浙江温州庆福寿。

乐石社记

粤若稽古，先圣继天有作。创造六书，以给世用，后贤踵事，附庸艺林。金石刻划，实祖缪篆。上起秦汉，下逮珠申。彬彬郁郁，垂二千年，可谓盛已。世衰道微，士不悦学，一技之末，假手嵎夷。兽蹄鸟迹，触以累累，破觚为圆，用夷变夏。典型沦丧，殆无讥焉。不佞无似，少耽痂癖。结习所存，古欢未坠。曩以人事，昧迹武林，滥竽师校。同学邱子，年少英发，既耽染翰，尤嗜印文。校秦量汉，笃志爱古。遂约同人，集为兹社，树之风声，颜以乐石。切磋商兑，初限校友。继乃张皇，他山取益。志道既合，声气遂孚。自冬徂春，规模寖备。复假彼故宫，为我社址。而西泠印社诸子，皝皝先进，勿弃葑菲。左提右挈，乐观厥成，滋可感也。不佞昧道懵学，文质靡底。前鱼老马，尸位经年。伏念雕虫篆刻，壮夫不为。而雅废夷侵，贤者所耻。值猖狂颓靡之秋，结枯槁寂寞之侣，足音空谷、幽草寒琼。纵未敢自附于国粹之林，倘亦贤乎博弈云尔。爰陈梗概，备观览焉，乙卯六月，李息翁记。

（原刊于《乐石社社友小传》一书首页）

乐石社社友小传

以署名先后为次

夏铸，字丏尊，号闷庵。上虞人。

李息，字叔同，一字息翁。燕人，或曰当湖人。幼嗜金石书画之学，长而碌碌无所就。性奇僻，不工媚人，人多恶之。生平易名字百十数，名之著者：曰文涛，曰下，曰成蹊，曰广平，曰岸，曰哀，曰凡。字之著者：曰叔桐，曰漱筒，曰惜霜，曰桃溪，曰李庐，曰圹庐，曰息霜。又自谥曰哀公。

楼启鸿，新登人。字秋宾，号逍遥子。为人磊落不慕荣利，善属文。嗜金石，作印宗西泠丁黄诸子，能得其神似。

杨凤鸣，字子岐。嘉善人。性明敏，工书法，神似真卿。印仿汉人，能不失古意。

陈兼善，字达夫。诸暨人。嗜古金石之学，天资尤聪颖。故学印仅一岁，已深入汉人堂奥。

吴荐谊，字翼汉，又号闻秀。诸暨小东大庄人。幼好古，尤嗜印学。每见古印佳石，多方购得之，摩挲品玩，几欲具袍笏而拜焉。及入县学，乃研究章法刀法之道。作印甚夥，旋来武林，课余之暇，常摹仿古印，尤孳孳不倦。

周其，字淦卿。杭人。仪容秀隽，性忧郁。名其庐曰爱吾，意盖以孤芳自怜乎。刻印上宗周秦，朱文尤佳，细致周密，类其人也。

朱毓魁，字文叔。桐乡人。通文学，精刻印，不加修饰，得浑厚之气。

杜振瀛，字丹成。嵊人。别号郯道人，以地名也。善写兰，劲健中尤饶秀气。间写梅竹，亦有可观，盖；其天资过人一等也。出其余力刻印，以浑古称。

徐啸涛，名葆玚。上虞人。知诗善画，篆刻初师辛谷，壬子来杭，与西泠诸印人朝夕研求，知印以宗汉为正。因尽弃辛谷之学而学之。尤善白文，浑厚高古，得汉人神髓。

邱志贞，字梅白。诸暨人。性亢直，有奇癖，见书画篆刻等，尝恋不忍去。家中寄其用费，多以购古书画碑帖之类。初学刻石，孤陋无师，不足以言印。岁壬子，就学武林，始与西泠诸印人相往来，又得西泠印社所藏自周秦以迄晚近诸名人印谱而卒读之，学乃益进。书画亦浑健，不失古法，但所作极鲜。

关仁本，字根心。杭人。性嗜美术，工刻印，旁款尤精。

戚纯文，字继棠。吴兴人。性淳笃，多巧思，工书画，尤嗜金石，遇有先人印谱，无不精心研究，故其所作之印古雅绝俗。

陈伟，钱塘人。原名家煜，字骨秋，别号骨道人。工篆刻，直追秦汉。以浑厚自持，不泥于章法。得老缶神髓。又善画山水，苍古老到，高出流辈。

翁镕生，字慕陶。杭人。性温和，酷嗜美术。刻印疏落入古。

毛自明，字伯亮，一字亮伯，号耿中。安吉人。恂恂儒雅，力学不倦。工篆刻，所作印有汉人遗意。

徐志行，字拙夫。上虞人。性聪慧，嗜金石文字。善行楷，兼工篆刻。

经亨颐，字子渊，别号石禅。上虞人。作印有家学，书宗小爨，因又号爨盦。

堵福诜，字申甫，又号屹山。会稽人。工画，喜作印。

张金明，字砺成，号侣尘。长兴人。性嗜古，收藏古书画甚富。又喜篆刻，甲寅冬，乐石社起，遂入社治印。

费砚，字剑石，号龙丁。华亭人。精于金石书画之学，夫人李氏，亦工诗，善篆刻。

胡宗成，字梦庄，号止安。绍兴人。工文辞，喜金石之学。搜藏汉魏六朝碑版及唐人墓志，精拓甚富。好弈棋，能书八分，刻印以秦汉为宗。尝与二三同志，创立臧社，推为社长。

王世，字掬昆，号菊烟。禹航西乡人。侨寓武林，喜探数理，兼有金石癖。

周承德，字佚生。海宁人。工文辞，博学好古，书法宗六朝，上窥汉隶，力学不倦，以其余暇，戏弄铁笔，所作印章，均有秦汉六朝神韵。

柳弃疾，字亚子。吴江人。少无乡曲之誉，而猖狂喜大言。十年结客，始愿莫酬，则杜门削辙，左对孺人，右弄孺子，自谓有终焉之志矣，顾复时时作近游。四年夏，泛舟西泠，遇故人李息霜，方创乐石社。邀之，则敬谢曰，仆少瞢于艺事，金石刻划之学，诚有所未能，可奈何。李子曰，无伤也耳。因欢然从焉。昔齐王好竽，而南郭先生不能竽，乃滥厕众客之间，毛遂谓十九人曰，公等录录，所谓因人成事者也。盖于古有之，是以谢客难矣。

张一鸣，字心芜。桐乡人。杭爽倜傥，有淳于东方之风，一语出，令人颐解。尝奔走国事，从燕市酒徒游。既失意，归为湖上寓公。益以诗酒自放，佯狂落魄，闻者悲之。初为南社社友，继入乐石社。

姚光，字石子。金山人。年少媚学，恂恂有儒者风。长身玉立，意态洒然也。早岁入南社，从海内诸贤豪，上下其议论，继乃创国学商兑会于金山之留溪，声名益盛。四年夏五，结伴游武林，复为乐石社社友。

附：徐渭仁，字善扬。上虞人。自幼好学甚笃，以家贫中道而止。年二十，佣于武林师范学舍。执役之暇，辄手一卷，吟讽不辍。以贫故，无资购书，则拾字簏之弃本读之。又以余暇，为乐石社拓印款，工洁可爱。予以资，则不受。以书画印章等贻之，则大喜称谢。其嗜好殊俗如斯，可以传矣，故附及之。

（原刊于《乐石社社友小传》一书）

我在西湖出家的经过

弘一法师述　高胜进笔记

杭州这个地方，实堪称为佛地，因为那边寺庙之多，约有两千余所，可想见杭州佛法之盛了。

最近“越风社”要出关于《西湖增刊》，由黄居士来函，要我做一篇《西湖与佛教之因缘》，我觉得这个题目的范围太广泛了，而且又无参考书在手，短期间内是不能做成的。所以现在就将我从前在西湖居住时，把那些值得追味的几件零碎的事情来说一说，也算是纪念我出家的经过。

我第一次到杭州，是光绪二十八年七月。（本篇所记年月，皆依旧历。）在杭州住了约莫一个月光景，但是并没有到寺院里去过。只记得有一次到涌金门外去吃过一回茶而无，同时也就把西湖的风景，稍为看了一下子。

第二次到杭州时，那是民国元年的七月里。这回到杭州倒住得很久，一直住了近十年，可以说是很久的了。

我的住处在钱塘门内，离西湖很近，只两里路光景。在钱塘门外，靠西湖边有一所小茶馆，名景春园，我常常一个人出门，独自到景春园的楼上去吃茶。当民国初年的时候，西湖那边的情形，完全与现在两样。那时候还有城墙及很多柳树，都是很好看的。除了春秋两季的香会之外，西湖边的人总是很少，而钱塘门外，更是冷静了。

在景春园的楼下，有许多的茶客，都是那些摇船抬轿的劳动者居多。而在楼上吃茶的就只有我一个人了。所以我常常一个人在上面吃茶，同时还凭栏看看西湖的风景。

在茶馆的附近，就是那有名的大寺院——昭庆寺了。我吃茶之后。也常常顺便地到那里去看一看。

当民国二年夏天的时候，我曾在西湖的广化寺里面住了好几天，但是住的地方，却不是出家人的范围之内，那是在该寺的旁边。有一所叫做痘神祠的楼上。痘神祠是广化寺专门为著要给那些在家的客人住的。当时我住在里面的时候，有时也曾到出家人所住的地方去看看，心里却感觉得很有意思呢！

记得那时我亦常常坐船到湖心亭去吃茶。

曾有一次，学校里有一位名人来演讲。那时，我和夏丏尊居士两人，却出门躲避而到湖心亭上去吃茶了。当时夏丏尊曾对我说："像我们这种人，出家做和尚倒是很好的。"那时候我听到这句话。就觉得很有意思，这可以说是我后来出家的一个远因了。

到了民国五年的夏天，我因为看到日本杂志中，有说及关于断食方法的，谓断食可以治疗各种疾病。当时我就起了一种好奇心，想来断食一下。因为我那个时候患有神经衰弱症，若实行断食后，或者可以痊愈亦未可知。要行断食时，须于寒冷的季候方宜，所以我便预定十一月来作断食的时间。

至于断食的地点呢？总须先想一想，考虑一下，似觉总要有个很幽静的地方才好。当时我就和西泠印社的叶品三君来商量，结果他说在西湖附近的地方，有一所虎跑寺，可作为断食的地点。那么，我就问他，既要到虎跑寺去，总要有人来介绍才对，究竟要请谁呢？他说有一位丁辅之，是虎跑寺的大护法，可以请他去说一说。于是他便写信请丁辅之代为介绍了。因为从前那个时候的虎跑，不是像现在这样热闹的，而是游客很少，且是十分冷静的地方啊。若用来作为我断食的地点，可以说是最相宜的了。

到了十一月的时候，我还不曾亲自到过，于是我便托人到虎跑寺那边去走一趟，看看在那一间房里住好？看的人回来说，在方丈楼下的地方，倒很幽静，因为那边的房子很多，且平常的时候都是关起来，游客是不能走进去的。而在方丈楼上，则只有一位出家人住着而已。此外并没有什么人居住。等到十一月底，我到了虎跑寺，就住在方丈楼下的那间屋子里了。

我住进去以后，常常看见一位出家人在我的窗前经过，即是住在楼上的那一位，我看到他却十分的欢喜呢！因此就时常和他谈话，同时他也拿佛经来给我看。

我以前虽然从五岁时，即时常和出家人见面，时常看见出家人到我的家里念经及拜忏。而于十二三岁时，也曾学了放焰口，可是并没有和有道的出家人住在一起，同时也不知道寺院中的内容是怎样，以及出家人的生活又是如何。

这回到虎跑寺去住，看到他们那种生活，却很欢喜而且羡慕起来了。

我虽然在那边只住了半个多月，但心里却十分地愉快，而且对于他们所吃的菜蔬，更是欢喜吃。及回到了学校以后，我就请佣人依照他们那种样的菜煮来吃。

这一次，我之到虎跑寺去断食，可以说是我出家的近因了。及到民国六年的下半年，我就发心吃素了。

在冬天的时候，我即请了许多经，如《普贤行愿品》、《楞严经》、《大乘起信论》等很多的佛经，而于自己的房里，也供起佛像来，如地藏菩萨、观世音菩萨等等的像，于是亦天天烧香了。

到了这一年放年假的时候，我并没有回家去，而是到虎跑寺里面去过年了。我仍旧住在方丈楼下。那个时候，则更感觉得有兴味了。于是就发心出家，同时就想拜那位住在方丈楼上的出家人做师父。他的名字是弘祥师，可是他不肯我去拜他，而介绍我拜他的师父。他的师父是在松木场护国寺里面居住的。于是他就请他的师父回到虎跑寺来。而我也就于民国七年正月十五日受三皈依了。

我打算于此年的暑假来入山。而预先在寺里面住了一年后。然后再实行出家的。当这个时候，我就做了一件海青，及学习两堂功课。在二月初五日那天，是我的母亲的忌日，于是我就先于两天以前到虎跑去，在那边诵了三天的《地藏经》，为我的母亲回向。到了五月底的时候，我就提前先考试，而于考试之后，即到虎跑寺入山了。

到了寺中一日以后，即穿出家人的衣裳，而预备转年再剃度的。及至七月初的时候，夏丏尊居士来，他看到我穿出家人的衣裳但还未出家，他就对我说："既住在寺里面，并且穿了出家人的衣裳，而不即出家，那是没有什么意思的，所以还是赶紧剃度好。"

我本来是想转年再出家的，但是承他的劝，于是就赶紧出家了。便于七月十三日那一天，相传是大势至菩萨的圣诞，所以就在那天落发。

落发以后，仍须受戒的。于是由林同庄君的介绍，而到灵隐寺去受戒了。

灵隐寺是杭州规模最大的寺院，我一向对着它是很欢喜的。我出家以后，曾到各处的大寺院去看过，但是总没有像灵隐寺那么的好。八月底，我就到灵隐寺去。寺中的方丈和尚很客气，叫我住在客堂后面芸香阁的楼上。

当时是由慧明法师做大师父的。有一天我在客堂里遇到这位法师了，他看到我时，就说起既是来受戒的，为什么不进戒堂呢？虽然你在家的时候是读书人，但是读书人就能这样地随便吗？就是在家时是一个皇帝，我也是一样看待的。那时方丈和尚仍是要我住在客堂楼上，而于戒堂里面有了紧要的佛事时，方命我去参加一两回的。

那时候我虽然不能和慧明法师时常见面，但是看到他忠厚笃实的容色，却是令我佩服不已的。

受戒以后，我仍回到虎跑寺居住。到了十二月底，即搬到玉泉寺去住。此后即常常到别处去，没有久住在西湖了。

南闽十年之梦影

丁丑二月十六日在南普陀寺佛教养正院讲

我一到南普陀寺，就想来养正院和诸位法师讲谈讲谈，原定的题目是“余之忏悔”，说来话长，非十几小时不能讲完；近来因为讲律，须得把讲稿写好，总抽不出一个时间来，心里又怕负了自己的初愿，只好抽出很短的时间，来和诸位谈谈，谈我在南闽十年中的几件事情！

我第一回到南闽，在民国十七年的十一月，是从上海来的。起初还是在温州，我在温州住得很久，差不多有十年光景。

由温州到上海，是为著编辑《护生画集》的事，和朋友商量一切；到十一月底，才把《护生画集》编好。

那时我听人说：尤惜阴居士也在上海。他是我旧时很要好的朋友，我就想去看一看他。一天下午，我去看尤居士，居士说要到暹罗国去，第二天一早就要动身的。我听了觉得很喜欢，于是也想和他一道去。

我就在十几小时中，急急地预备着。第二天早晨，天还没大亮，就赶到轮船码头，和尤居士一起动身到暹罗国去了。从上海到暹罗，是要经过厦门的，料不到这就成了我来厦门的因缘。十二月初，到了厦门，承陈敬贤居士的招待，也在他们的楼上吃过午饭，后来陈居士就介绍我到南普陀寺来。那时的南普陀，和现在不同，马路还没有建筑，我是坐着轿子到寺里来的。

到了南普陀寺，就在方丈楼上住了几天。时常来谈天的，有性愿老法师、芝峰法师等。芝峰法师和我同在温州，虽不曾见过面，却是很相契的。现在突然在南普陀寺晤见了，真是说不出的高兴。

我本来是要到暹罗去的，因著诸位法师的挽留，就留滞在厦门，不想到暹罗国去了。

在厦门住了几天，又到小雪峰那边去过年。一直到正月半以后才回到厦门，住在闽南佛学院的小楼上，约莫住了三个月工夫。看到院里面的学僧虽然只有二十几位，他们的态度都很文雅，而且很有礼貌。和教职员的感情也很不差，我当时很赞美他们。

这时芝峰法师就谈起佛学院里的课程来。他说：“门类分得很多。时间的分配却很少，这样下去，怕没有什么成绩吧?”因此，我表示了一点意见，大约是说：“把英文和算术等删掉，佛学却不可减少，而且还得增加，就把腾出来的时间教佛学吧!”他们都很赞成。听说从此以后，学生们的成绩，确比以前好得多了!

我在佛学院的小楼上，一直住到四月间，怕将来的天气更会热起来，于是又回到温州去。

第二回到南闽，是在民国十八年十月。起初在南普陀寺住了几天。以后因为寺里要做水陆，又搬到太平岩去住。等到水陆圆满，又回到寺里，在前面的老功德楼住著。

当时闽南佛学院的学生，忽然增加了两倍多，约有六十多位，管理方面不免感到困难。虽然竭力的整顿，终不能恢复以前的样子。

不久，我又到小雪峰去过年，正月半才到承天寺来。

那时性愿老法师也在承天寺，在起草章程，说是想办什么研究社。

不久，研究社成立了，景象很好，真所谓“人才济济”，很有一种难以形容的盛况。现在妙释寺的善契师，南山寺的传证师，以及已故南普陀寺的广究师，等等，都是那时候的学僧哩!

研究社初办的几个月间，常住的经忏很少，每天有工夫上课，所以成绩卓著，为别处所少有。

当时我也在那边教了两回写字的方法，遇有闲空，又拿寺里那些古版的藏经来整理整理，后来还编成目录，至今留在那边。这样在寺里约莫住了三个月，到四月，怕天气要热起来，又回到温州去。

民国二十年九月，广洽法师写信来，说很盼望我到厦门去。当时我就从温州动身到上海，预备再到厦门；但许多朋友都说：时局不大安定，远行颇不相宜，于是我只好仍回温州。直到转年（即民国二十一年）十月，到了厦门，计算起来，已是第三回了。

到厦门之后，由性愿老法师介绍，到山边岩去住；但其间妙释寺也去住了几天。

那时我虽然没有到南普陀来住，但佛学院的学僧和教职员，却是常常来妙释寺谈天的。

民国二十二年正月廿一日，我开始在妙释寺讲律。这年五月，又移到开元寺去。当时许多学律的僧众，都能勇猛精进，一天到晚的用功，从没有空过的工夫；就是秩序方面也很好，大家都啧啧地称赞著。

有一天，已是黄昏时候了，我在学僧们宿舍前面的大树下立著，各房灯火发出很亮的光；诵经之声，又复朗朗入耳，一时心中觉得有无限的欢慰！可是这种良好的景象，不能长久的继续下去，恍如昙花一现，不久就消失了。但是当时的景象，却很深的印在我的脑中，现在回想起来，还如在大树底下目睹一般。这是永远不会消灭，永远不会忘记的啊！

十一月，我搬到草庵来过年。

民国二十三年二月，又回到南普陀。当时旧友大半散了；佛学院中的教职员和学僧，也没有一位认识的！我这一回到南普陀寺来，是准了常惺法师的约，来整顿僧教育的。后来我观察情形，觉得因缘还没有成熟，要想整顿，一时也无从著手，所以就作罢了。此后并没有到闽南佛学院去。

讲到这里，我顺便将我个人对于僧教育的意见，说明一下：

我平时对于佛教是不愿意去分别那一宗、那一派的，因为我觉得各宗各派，都各有各的长处。但是有一点，我以为无论那一宗那一派的学僧，却非深信不可，那就是佛教的基本原则，就是深信善恶因果报应的道理。——善有善报，恶有恶报；同时还须深信佛菩萨的灵感！这不仅初级的学僧应该这样，就是升到佛教大学也要这样！善恶因果报应和佛菩萨的灵感道理，虽然很容易懂；可是能彻底相信的却不多。这所谓信，不是口头说说的信，是要内心切切实实去信的呀！咳！这很容易明白的道理，若要切切实实地去信，却不容易啊！我以为无论如何，必须深信善恶因果报应和诸佛菩萨灵感的道理，才有做佛教徒的资格！须知善有善报，恶有恶报，这种因果报应，是丝毫不爽的！又须知我们一个人所有的行为，一举一动，以至起心动念，诸佛菩萨都看得清清楚楚！一个人若能这样十分决定地信着，他的品行道德，自然会一天比一天地高起来！要晓得我们出家人。就所谓“僧宝”，在俗家人之上，地位是很高的。所以品行道德，也要在俗家人之上才行。

倘品行道德仅能和俗家人相等，那已经难为情了。何况不如？又何况十分的不如呢？……咳！……这样他们看出家人就要十分的轻慢，十分的鄙视，种种讥笑的话，也接连地来了。……

记得我将要出家的时候，有一位住在北京的老朋友写信来劝告我，你知道他劝告的是什么，他说：“听到你要不做人，要做僧去。……”咳！……我们听到了这话，该是怎样的痛心啊！他以为做僧的，都不是人，简直把僧不当人看了！你想，这句话多么厉害呀！出家人何以不是人？为什么被人轻慢到这地步？我们都得自己反省一下！我想：这原因都由于我们出家人做人太随便的缘故，种种太随便了，就闹出这样的话柄来了。至于为什么会随便呢，那就是由于不能深信善恶因果报应和诸佛菩萨灵感的道理的缘故。倘若我们能够真正生信，十分决定的信，我想就是把你的脑袋斫掉，也不肯随便的了。

以上所说，并不是单单养正院的学僧应该牢记，就是佛教大学的学僧也应该牢记，相信善恶因果报应和诸佛菩萨灵感不爽的道理。

就我个人而论，已经是将近六十的人了，出家已有二十年，但我依旧喜欢看这类的书。——记载善恶因果报应和佛菩萨灵感的书。

我近来省察自己，觉得自己越弄越不像了，所以我要常常研究这一类的书。希望我的品行道德，一天高尚一天。希望能够改过迁善，做一个好人。又因为我想做一个好人，同时我也希望诸位都做好人。

这一段话，虽然是我勉励我自己的，但我很希望诸位也能照样去实行。

关于善恶因果报应和佛菩萨灵感的书，印光老法师在苏州所办的弘化社那边印得很多，定价也很低廉，诸位若要看的话，可托广洽法师写信去购请，或者他们会赠送也未可知。

以上是我个人对于僧教育的一点意见。下面我再来说几样事情：

我于民国二十四年到惠安净峰寺去住。到十一月，忽然生了一场大病，所以我就搬到草庵来养病。这一回的大病，可以说是我一生的大纪念！我于民国二十五年的正月，扶病到南普陀寺来。在病床上有一只钟，比其他的钟总要慢两刻，别人看到了，总是说这个钟不准，我说："这是草庵钟。"别人听了"草庵钟"三字还是不懂，难道天下的钟也有许多不同的么？现在就让我详详细细地来说个明白。

我那一回大病，在草庵住了一个多月。摆在病床上的钟，是以草庵的钟为标准的。而草庵的钟，总比一般的钟要慢半点。我以后虽然移到南普陀，但我的钟还是那个样子，比平常的钟慢两刻，所以"草庵钟"就成了一个名词了。这件事由别人看来，也许以为是很好笑的吧！但我觉得很有意思。因为我看到这个钟，就想到我在草庵生大病的情形了，往往使我发大惭愧，惭愧我德薄业重。我要自己时时发大惭愧，我总是故意地把钟改慢两刻，照草庵那钟的样子，不止当时如此，到现在还是如此，而且愿尽形寿，常常如此。

以后在南普陀住了几个月，于五月间，才到鼓浪屿日光岩去。十二月仍回南普陀。到今年民国二十六年，我在闽南居住，算起来，首尾已是十年了。回想我在这十年之中，在闽南所做的事情，成功的却是很少很少，残缺破碎的居其大半，所以我常常自己反省，觉得自己的德行，实在十分欠缺。因此近来我自己起了一个名字，叫"二一老人"。什么叫"二一老人"呢？这有我自己的根据。

记得古人有句诗："一事无成人渐老。"清初吴梅村（伟业）临终的绝命词有："一钱不值何消说。"这两句诗的开头都是"一"字，所以我用来做自己的名字，叫做"二一老人"。

因此我十年来在闽南所做的事，虽然不完满，而我也不怎样地去求他完满了！

诸位要晓得，我的性情是很特别的，我只希望我的事情失败，因为事情失败、不完满，这才使我常常发大惭愧，能够晓得自己的德行欠缺，自己的修善不足，那我才可努力用功，努力改过迁善。一个人如果事情做完满了，那么这个人就会心满意足，洋洋得意，反而增长他贡高我慢的念头，生出种种的过失来。所以还是不去希望完满的好。不论什么事，总希望他失败，失败才会发大惭愧，倘若因成功而得意，那就不得了啦！

我近来，每每想到“二一老人”这个名字，觉得很有意味。这“二一老人”的名字，也可以算是我在闽南居住了十年的一个最好的纪念。

李叔同作品精选·浮光片羽

李叔同是我们时代里最有才华的几位天才之一，也是最奇特的一个人，最遗世而独立的一个人。

——林语堂

日本文艺消息

一

吾国人留学日本入官立东京美术学校者，共八人，皆在西洋画科。曾延年，李岸二氏，于去年四月卒业返国。此外，留东者有陈之驷、白常龄、汪口川、方明远、潘寿恒、雷毓湘诸氏。又有谈谊孙氏，于六年前曾入该校雕刻科，至二年级时，因事返国。谈氏通金石之学，工篆刻，擅长浙派，天性极与雕刻相近，半途辍业，人多惜之。

吾国女子留学日本入私立女子美术学校者，多至三十余人，亦大半在西洋画科。昨有卒业生包女士卒业制作画，颇为中日人所称羡云。

（1912 年 4 月 7 日）

二

日本近年以来，西洋画进步极速，年设官立文部省展览会一次，奖励佳作。此外，又有白马会与太平洋画会两团体，最有势力。白马会以黑田清辉为主盟，此外有冈田三郎、助和田英、作藤岛武、长原率太部、三宅克已、中泽弘光等。又官立美术学校之教师与生徒，皆属此派。太平洋画会，小山正太郎执牛耳，此外著名大家有中村不哲、蒲斋国四郎、小杉未醒、古回博、石井柏亭、中川四郎、太下藤次郎、丸山晚露等，又有关西鹿子、木孟郎亦属此派。此派俗称为在野派，专与官立美术学校反对。实则此派之势力，决不能与白马会相拮抗。

去年白马会名目已解散，然其势力依然存在。以实力论，以名誉论，皆在太平洋之上。故美术批评家，于太平洋画家作品辄加微词。如鹿子木、中村诸氏之作，近年以来，颇不为社会所欢迎。及观于白马会一方面，如黑田、冈田、和田诸氏之作，殆同声称扬，毫无异议。白马会员黑田氏，群拟为洋画大统领，其势力之大，可想见矣。平心论之，日本洋画发达，黑田氏之力为多。

黑田年仅四十余，现任美术学校教授兼帝室技艺员云。

（1912 年 4 月 7 日、11 日）

三

日本美术团体赤瓮会第一回展览会，定于三月二十九日至四月五日在三会堂开催。此会为东京美术学校去年洋画科卒业生所组织。吾国曾延年、李岸两氏亦在此会。

日本《白桦》杂志社主催第五回美术展览会定于四月十二日至二十一日在京都府立图书馆内开催。

（1912 年 4 月 13 日）

四

日本音乐老大家上真行先生，二十年前任东京音乐学校教师，后任宫内省雅乐部员，于和洋音乐皆能窥其堂奥。通汉学，工诗。昨获由日本寄来四月《太阳》，载有先生《芳溪看梅，用东坡聚星堂韵》三首，有句云："桧杨风翻只多叶，石鼎春茶烹碧雪。人间酒肉嫌荤腥，佛前盂钵爱清绝。"闲情逸致，有潇洒出尘之概，诵此可想见先生风采矣。

先生自谓不工书，然书法古拙，极似吾国费屺怀先辈。他日当蒐求影入铜板，以供大雅鉴赏。

（1912 年 4 月 13 日）

五

日本书画大家创立淡白会，每月开会一次。七年前，淡白会场多在汤岛天神鱼士楼，近年移至京桥出云町北川楼。开会时陈设会员作品，当筵挥毫，出品交换。吾国近发起之文美会，与此性质相似。淡白会员仅十余人，人品皆风雅娴静，其作品亦潇洒清疏，洵不愧淡白之名矣。吾国人陈师曾、曾孝谷、李叔同诸氏留学东京时，亦在此会，日人当筵乞书画者尤多。

（1912 年 4 月 15 日）

断食日志

此为弘一大师于出家前两年在杭州大慈山虎跑寺试验断食时所记之经过。自入山至出山，首尾共二十天。对于起居身心，详栽靡遗。据大师所谱所载，时为民国五年，大师三十七岁。原稿曾由大师交堵申甫居士保存。文多断续，字迹模糊，其封面盖有李息翁章，并有日文数字。兹特向堵居士借缮，并与其详加校对，冀为刊播流通，藉供众览。想亦为景仰大师者所喜闻，且得为后来预备断食者之参考也。后学陈鹤卿谨识。

丙辰嘉平一日始。断食后，易名欣，字俶同，黄昏老人，李息。

十一月廿二日，决定断食。祷诸大神之前，神诏断食，故决定之。

择录村井氏说：妻之经验。最初四日，预备半断食。六月五日、六日，粥，梅干。七日、八日，重汤，梅干。九日始本断食，安静。饮用水一日五合，一回一合，分五六回服用。第二日，饥饿胸烧，舌生白苔。第三、四日，肩腕痛。第四日，腹部全体凝固，体倦就床，晨轻晚重。第五日，同，稍轻减，坐起一度散步。第六日，轻减，气分爽快，白苔消失，胸烧愈。第七日，最平稳，断食期至此止。

后一日，摄重汤，轻二碗三回，梅干无味。后二日，同。后三日，粥，梅干，胡瓜，实入吸物。后四日，粥，吸物，少量刺身。后五日，粥，野菜，轻鱼。后六日，普通食，起床，此两三日，手足浮肿。

断食期内，或体痛不能眠，或下痢，或嚏。便时以不下床为宜。预备断食或一周间，粥三日，重汤四日。断食后或需一周间，重汤三日，粥四日，个半月体量恢复。半断食时服ゾチネ（リチネ：西药名。英文 Richine）。

到虎跑携带品：被褥帐枕，米，梅干，杨子，齿磨，手巾，手帕，便器，衣，洒水布，ゾチネ，日记纸笔书，番茶，镜。

预定期间：一日下午赴虎跑。上午闻玉去预备。中食饭，晚食粥，梅干。二日、三日、四日，粥，梅干。五日、六日、七日、重汤，梅干。八日至十七日断食。十八日、十九日、二十日，重汤，梅干。廿一日、廿二日、廿三日、廿四日，粥，梅干，轻菜食。廿五日返校，常食。廿八日返沪。

卅日晨，命闻玉携蚊帐，米，纸，糊，用具到虎跑。室宜清闲，无人迹，无人声，面南，日光遮北，以楼为宜。是晚食饭，拂拭大小便器、桌椅。

午后四时半入山，晚餐素菜六簋（音癸，盛食物的圆形器具），极鲜美。食饭二盂，尚未餍，因明日始即预备断食，强止之。榻于客堂楼下，室面南，设榻于西隅，可以迎朝阳。闻玉设榻于后一小室，仅隔一板壁，故呼应便捷。晚燃菜油灯，作楷八十四字。自数日前病感冒，伤风微嗽，今日仍未愈。口干鼻塞，喉紧声哑，但精神如常。八时眠，夜间因楼上僧人足声时作，未能安眠。

（《觉有情》编者按：据前节所记预定期间，十二月一日下午赴虎跑。而此节所记，三十日午后四时半即已入山，当系临时改定。）

十二月一日，晴，微风，五十度。断食前期第一日。疾稍愈，七时半起床。是日午十一时食粥二盂，紫苏叶二片，豆腐三小方。晚五时食粥二盂，紫苏叶二片，梅一枚。饮冷水三杯，有时混杏仁露，食小桔五枚。午后到寺外运动。

余平日之常课，为晨起冷水擦身，日光浴，眠前热水洗足。自今日起冷水擦身暂停，日光浴时间减短，洗足之热水改为温水，因欲使精神聚定，力避冷热极端之刺激也。对于后人断食者，应注意如下：

（一）未断食时练习多食冷开水。断食初期改食冷生水，渐次加多。因断食时日饮五杯冷水殊不易，且恐腹泻也。

（二）断食初期时之粥或米汤，于微温时食之，不可太热。因与冷水混合，恐致腹痛。

余每晨起后，必通大便一次。今晨如常，但十时后屡放屁不止。二时后又打格儿甚多，此为平日所无。是日书楷字百六十八，篆字百零八。夜观焰口，至九时始眠。夜微嗽多恶梦，未能入眠。

二日，晴和，五十度。断食前期第二日。七时半起床，晨起无大便。是日午前十一时食粥一盂，梅一枚，紫苏叶二片。午后五时同。饮冷水三杯，食桔子三枚，因运动归来体倦故。是日舌苔白，口内粘滞，上牙里皮脱。精神如常，但过则疲□□。运动微觉疲倦，头目眩晕。自明日始即不运动。

晚侍和尚念佛，静坐一小时。写字百三十二，是日鼻塞。摹大同造像一幅，原拓本自和尚假来，尚有三幅明后续□□。八时半眠，夜梦为升高跳越运动。其处为器具拍卖场，陈设箱柜几椅并玩具装饰品等。余跳越于上，或腾空飞行于其间，足不履地，灵捷异常，获优胜之名誉。旁观有德国工程师二人，皆能操北京语。一人谓有如此之技能，可以任远东大运动会之某种运动，必获优胜，余逊谢之。一人谓练习身体，断食最有效，吾二人已二日不食。余即告余现在虎跑断食，亦已预备二日矣。其旁又有一中国人，持一表，旁写题目，中并列长短之直红线数十条，如计算增减高低之表式，是记余跳越高低之顺序者。是人持以示余，谓某处由低而高而低之处，最不易跳越，赞余有超人之绝技。后余出门下土坡，屡遇西洋妇人，皆与余为礼，贺余运动之成功，余笑谢之。梦至此遂醒。余生平未尝为一次运动，亦未尝梦中运动，头脑中久无此思想，忽得此梦，至为可异，殆因胃内虚空有以致之欤?

三日，晴和，五十二度。断食前第三日。七时半起床。是晨觉饥饿，胸中搅乱，苦闷异常，口干饮冷水。勉坐起披衣，头昏心乱，发虚汗作呕，力不能支，仍和衣卧少时。饮梅茶二杯，乃起床，精神疲惫，四肢无力。九时后精神稍复元，食桔子二枚。是晨无大便，饮药油一剂，十时半软便一次，甚畅快。十一时水泻一次，精神颇佳，与平常无大异。十一时二十分食粥半盂，梅一个，紫苏一枚。摹普泰造像、天监造像二页。饮水，食物，喉痛，或因泉水性太烈，使喉内脱皮之故。午后四时，饮水后打格笃，食小梨一个，五时食粥半盂。是日感冒伤风已愈，但有时微嗽。是日午后及晚，侍和尚念佛静坐一小时。八时半眠。入山预断以来，即不能为长时之安眠，旋睡旋醒，辗转反侧。

四日，晴和，五十三度。断食前第四日。七时半起床。是晨气闷心跳口渴，但较昨晨则轻减多矣，饮冷水稍愈。起床后头微晕，四肢乏力。食小桔一枚，香蕉半个。八时半精神如常，上楼访弘声上人，借佛经三部。午后散步至山门，归来已觉微疲。是日打格儿甚多，口时作渴，一共饮冷水四大杯。摹大明造像一页。写楷字八十四，篆字五十四。无大便。四时后头昏，精神稍减，食小桔二枚。是日十一时饮米汤二盂，食米粒二十余。八时就床，就床前食香蕉半个。自预备断食，每夜三时后腿痛，手足麻木。（余前每逢严冬有此旧疾，但不甚剧。）

五日，晴和，五十三度。断食前第五日。七时半起床。是夜前半颇觉身体舒泰，后半夜仍腿痛，手足麻木。三时醒，口干，心微跳，较昨减轻。食香蕉半个，饮冷水稍眠。六时醒，气体甚好。起床后不似前二日之头晕乏力，精神如常，心胸愉快。到菜园采花供铁瓶。食梨半个，吐渣。自昨日起，多写字，觉左腰痛。是日腹中屡屡作响。时流鼻涕，喉中肿烂尚未愈。午后侍和尚念经静坐一小时，微觉腰痛，不如前日之稳静。三时食梨半个，吐渣。食香蕉半个。午、晚饮米汤一盂。写字百六十二。傍晚精神稍差，恶寒口渴。本定于后日起断食。改自明日起断食，奉神诏也。

断食期内，每日饮梨汁一个之分量，饮桔汁三小个之分量。饮毕嗽口。又因信仰上每晨餐神供生白米一粒，将眠，食香蕉半个。是日无大便，七时起床。是夜神经过敏甚剧，加以鼠声人鼾声，终夜未安眠。口甚干，后半夜腿痛稍轻，微觉肩痛。

六日，晴暖，晚半阴，五十六度。断食正期第一日。八时起床。三时醒，心跳胸闷，饮冷水桔汁及梅茶一杯。八时起床，手足乏力。头微晕，执笔作字殊乏力，精神不如昨日。八时半饮梅茶一杯。脑力渐衰，眼手不灵，写日记时有误字，多遗忘。九时半后精神稍可。十时后精神甚佳，口渴已愈。数日来喉中肿烂亦愈。今日到大殿去二次，计上下廿四级石级四次，已觉足乏力，为以前所无。是日共饮梨汁一个，桔汁二个。傍晚精神不衰，较胜昨日，但足乏力耳。仍时流鼻涕，晚间精神尤佳。是日不觉如何饥饿。晚有便意，仅放屁数个，仍无便。是夜能安眠，前半夜尤稳安舒泰。眠前以棉花塞耳，并诵神人合一之旨。夜间腿痛已愈，但左肩微痛。七时就床，梦变为丰颜之少年，自谓系断食之效。

七日，阴复晴，夜大风，五十四度。断食正期第二日。六时半起床。四时醒，心跳微作即愈，较前二日减轻。饮冷水甚多。六时半即起床，因是日头晕已减轻，精神较昨日为佳，且天甚暖故早起床也。起床后饮桔汁一枚。晨览《释迦如来应化事迹图》。八时后精神不振，打呼欠，口寒流鼻涕，但起立行动如常。午后身体寒益甚，拥被稍息。想出食物数种，他日试为之。炒饼、饼汤、虾仁豆腐、虾子面片、十锦丝、咸口瓜。三时起床，冷已愈，足力比昨日稍健。是日无大便，饮冷水较多。前半夜肩稍痛，须左右屡屡互易，后半夜已愈。

八日，阴，大风，寒，午后时露日光，五十度。断食正期第三日。十时起床。五时醒，气体至佳，如前数日之心跳头晕等皆无。因天寒大风，故起床较迟。起床后精神甚佳，手足有力，到院内散步。四时半就床，午后益寒，因早就床。是日食欲稍动，有时觉饥，并默想各种食物之种类及其滋味。是夜安眠，足关节稍痛。

九日，晴，寒，风，午后阴，四十八度。断食正期第四日。八时半起床。四时醒，气体极佳，与日常无异。起床后精神如常，手足有力。朝日照入，心目豁爽。小便后尿管微痛，因饮水太多之故。自今日始不饮梨桔汁，改饮盐梅茶二杯。午后因饮水过多，胸中苦闷。是日午前精神最佳，写字八十四，到菜圃散步。午后寒，一时拥被稍息。三时起床，室内运动。是日不感饥饿。因天寒五时半就床。

十日，阴，寒、四十七度。断食正期第五日。十时半起床。四时半醒，气体精神与昨同。起床后精神至佳。是日因寒故起床较迟。今日加饮盐汤一小杯。十一时杨、刘二君来谈至欢。因寒四时就床。是日写字半页。近日神经过敏已稍愈。故夜间较能安眠。但因昨日饮水过多伤胃，胃时苦闷，今日饮水较少。

十一日，阴寒，夕晴，四十七度。断食正期第六日。九时半起床。四时半醒，气体与昨同。夜间右足微痛，又胃部终不舒畅。是日口干，因寒起床稍迟。饮盐汤半杯，饮梨汁。夕晴，心目豁爽。写字百三十八。坐檐下曝日，四时就床，因寒早就床。是晚感谢神恩，誓必皈依。致福基书。

十二日，晨阴，大雾，寒，午后晴，四十八度。断食正期第七日。十一时起床。四时半醒，气体与昨同，足痛已愈，胃部已舒畅。口干，因寒不敢起床。十一时福基遣人送棉衣来，乃披衣起。饮梨汁及盐汤、桔汁。午后精神甚佳，耳目聪明，头脑爽快，胜于前数日。到菜圃散步。写字五十四。自昨日始，腹部有变动，微有便意，又有时稍感饥饿。是日饮水甚少。晚晴甚佳，四时半就床。

十三日，晨半晴阴，后晴和，夕风，五十四度。断食后期第一日。八时半起床。气体与昨同。晨饮淡米汤二盂，不知其味，屡有便意，口干后愈。饮梨汁桔汁。十一时饮浓米汤一盂，食梅干一个，不知其味。十一时服泻油少许，十一时半大便一次甚多。便色红，便时腹微痛，便后渐觉身体疲弱，手足无力。午后勉强到菜圃一次。是日不饮冷水。午前写字五十四。是日身体疲倦甚剧，断食正期未尝如是。胃口未开，不感饥饿，尤不愿饮米汤，是夕勉强饮一盂，不能再多饮。

十四日，晴，午前风，五十度。断食后期第二天。七时半起床。气体与昨同，夜间较能安眠。五时饮米汤一盂，口干，起床后精神较昨佳。大便轻泻一次，又饮米汤一盂，饮桔汁，食苹果半枚。是日因米汤梅干与胃口不合，于十一时饮薄藕粉一盂，炒米糕二片，极觉美味，精神亦骤加。精神复元，是日极愉快满足。一时饮薄藕粉一盂，米糕一片。写字三百八十四。腰腕稍痛，暗记诵《神乐歌序章》。四时食稀粥一盂，咸蛋半个，梅干一个，是日不感十分饥饿，如是已甚满足。五时半就床。

十五日，晴，四十九度。断食后期第三日。七时起床。夜间渐能眠，气体无异平时。拥衾饮茶一杯，食米糕三片。早食藕粉米糕，午前到佛堂菜圃散步，写字八十四。午食粥二盂，青菜咸蛋少许。夕食芋四个，极鲜美。食梨一个，桔二个。敬抄《御神乐歌》二页，暗记诵一、二、三下目。晚饮粥二盂，青菜咸蛋，少许梅干。晚食粥后，又食米糕饮茶，未能调和，胃不合，终夜屡打格儿，腹鸣。是日无大便，七时就床。

十六日，晴，四十九度。断食后期第四日。七时半起床。晨饮红茶一杯，食藕粉芋。午食薄粥三盂，青菜芋大半碗，极美。有生以来不知菜芋之味如是也。食桔，苹果，晚食与午同。是日午后出山门散步，诵《神乐歌》，甚愉快。入山以来，此为愉快之第一日矣。敬抄《神乐歌》七叶，暗记诵四、五下目。晚食后食烟煙一服。七时半就床，夜眠较迟，胃甚安，是日无大便。

十七日，晴暖，五十二度。断食后期第五日。七时起床。夜间仍不能多眠，晨饮泻油极少量。晨餐浓粥一盂，芋五个，仍不足，再食米糕三片，藕粉一盂。九时半大便一次，极畅快。到菜圃诵《御神乐歌》。中膳，米饭一盂，粥二盂，油炸豆腐一碗。本寺例初一、十五始食豆腐，今日特因僧人某死，葬资有余，故以之购食豆腐。午前后到山门外散步二次。拟定出山后剃须。闻玉采萝卜来，食之至甘。晚膳粥三盂，豆腐青菜一盂，极美。今日抄《御神乐歌》五叶，暗记诵六下目。作书寄普慈。是日大便后愉快，晚膳后尤愉快，坐檐下久。拟定今后更名欣，字俶同。七时半就床。

十八日，阴，微雨，四十九度。断食后期最后一日。五时半起床。夜间酣眠八小时，甚畅快，入山以来未之有也。是晨早起，因欲食寺中早粥。起床后大便一次甚畅。六时半食浓粥三盂，豆腐青菜一盂，胃甚涨。坐菜圃小屋诵《神乐歌》，今日暗记诵七下目，敬抄《神乐歌》八叶。午，食饭二盂，豆腐青菜一盂，胃涨大，食烟一服。午后到山中散步，足力极健。采干花草数枝，松子数个。晚食浓粥二盂，青菜半盂，仅食此不敢再多，恐胃涨也。餐后胸中极感愉快。灯下写字五十四，辑订断食中字课，七时半就床。

十九日，阴，微雨，四时半起床。午后一时出山归校。嘱托闻玉事件：晚饭菜，桔子，做衣服附袖头，廿二要，轿子油布，轿夫选择，新蚊帐，夜壶。自己事件：写真，付饭钱，致普慈信。

惠安弘法日记

后二十四年乙亥四月二十一日夕，自泉州南门外，乘古帆船航海。

十二日　晨到崇武，改乘小舟，风逆浪大，午前十时抵净峰寺。

十六日　往崇武，居普莲堂。

十七日十八日十九日　讲《三皈五戒》、《观音菩萨灵感》及《净土法门》等。

十九日下午　返净山。

二十一日　为亡母冥诞，开讲《华严经普贤行愿品》，五月一日讲竟。初三日为灵峰蕅益大师圣诞，午后讲大师事迹。

六月七日　始讲《四分律戒本疏行宗记》。（二十一日，第二册讲竟。）

七月三十日　为地藏菩萨圣诞，午后讲《九华山示迹大意》。

八月五日　为亡父讳日，开讲《普贤行愿品偈颂》，七日讲竟。听者甚众，大半为耶教徒也。

二十三日　性愿老法师到净峰。

二十五日　请讲《佛法大要》。

二十七日　请师往崇武晴霞寺，代余讲《法华经普门品》。

二十九日　讲讫。每日听众百人左右。

十月　将去净峰留题云：“乙亥四月，余居净峰，植菊盈畦，秋晚将归去。犹复含蕊未吐，口占一绝，聊以□别：我到为植种，我行花未开。岂无佳色在？留待后人来！”

二十二日　去净峰，到惠安城，遇诸居士留宿。

二十日　上午到科峰寺讲演，并为五人证受皈依．下午到泉州。

十一月　十九日复到惠安城，寓黄善人宅。

二十日　到科峰寺讲演，并为十人证受皈依。

二十一日　上午为一人证受皈依。下午乘马，行二十里，到许山头东堡，寓许连木童子宅。

二十二日　在瑞集岩讲演。

二十三日二十四日　在许童子宅讲演，并为二十人证受皈依及五戒。

二十五日　上午到后尾，寓刘清辉居士菜堂，下午讲演。

二十六日　上午到胡乡，寓胡碧莲居士菜堂，下午开讲《阿弥陀经》。

二十八日　讲经竟，为十七人证受皈依及五戒。

二十九日　上午到谢贝，寓黄成德居士菜堂，三十日讲演。

十二月初一日　上午到惠安城，寓李氏别墅，今为某小学校。

初二日　到如是堂讲演，听众近百人。

初三日　到泉州，卧病草庵。

壬丙南闽弘法略志

壬申十月　在厦门妙释寺，念佛会期讲《净土法门大意》。

十二月　同上，讲《人生之最后》。

癸酉正月十二日　同上，讲余之《改过实验谈》。

正月二十一日始　在妙释寺，开讲《四分律含注戒本》及《戒相表记》。至二十五日，初、二篇讲讫。

三月九日　在万寿岩，讲《随机羯磨》，至五月八日，上卷讲讫。

四月七日　在万寿岩，讲《地藏菩萨灵感》。

八日　讲《授三皈依大意》。

五月十五日　在泉州大开元寺，讲《放生与杀生之果报》。

闰五月五日　同上，讲《敬三宝》。

六日　同上，讲《佩玉篇》共数次。

七月十一日　在承天寺，讲《常随佛学》。

同日　在大开元寺，讲《读诵华严经文之灵感》。

七月下旬　同上，讲《梵网戒本》。七日讫。

八月十一日　同上，讲《普贤行愿品大意》。三日讫。

八月二十四日　同上，续讲《四分律含注戒本》及《随机羯磨》。十月初三日讫。

十一月十五日　在草庵，讲《梵网戒本》。三日讫。

十二月一日　讲《药师经》。三日讫。为故瑞意法师回向菩提。

除夕夜　同上，讲蕅益大师普说二则。

甲戌元旦　在草庵，开讲《随机羯磨》初、二篇。十四日讲讫。

十九日二十日　补讲。

二十一日　为蕅益大师涅槃日，讲大师遗作二首。

三月十八日　在南普陀寺，讲《行事钞大盗戒》。

四月六日　讲讫。

七月　讲《一梦漫言》。半月余讲讫。

十一月　万寿岩开创念佛堂，讲说三日。

除夕夜　在万寿岩念佛堂讲说。

乙亥元旦　在万寿岩，开讲《阿弥陀经》。七日讫。

二月　在泉州温陵养老院讲说。

二月　在开元慈儿院讲说。

二月　在大开元寺念佛会讲说。

三月　在大开元寺，讲《一梦漫言》。半月讫。

十月　在承天寺戒坛，讲《律学要略》三日。

十一月　同上，讲参学。

除夕　在草庵病榻讲说。

闰三月一日　在南普陀寺，开讲《四分律含注戒本》初、二篇。半月讲讫。

五月　在鼓浪日光岩，讲《净土法门大意》。

行脚散记

癸酉十一月十一日　居草庵。

十五日　讫。

二十日　讲《梵网经戒本》。

十二月一日　讫。

三日　讲《药师经》，回向故瑞意法师。（二月二日复念佛回向。）

除夕夜　讲《蕅益大师普说二则》。

甲戌　元旦讫。

十四日　讲《四分律羯磨》初、二篇。

十九日　二十日　讲《羯磨》。

二十一日　为蕅益大师涅槃日，设供并请大师遗作《祭颛愚大师文》《德林座右铭》二首。

二十二日　夜与大众行蒙山施食，回向鬼众及草庵已故诸蜜蜂等。

二月三日　之厦门南普陀寺，开讲《四分律行事钞资持记》。为书弘律愿誓句，并记二月余行事，赠芳远居士，以为遗念焉。沙门演音时年五十又五。

改过实验谈

癸酉正月在厦门妙释寺讲

今值旧历新年，请观厦门全市之中，新气象充满，门户贴新春联，人多著新衣，口言恭贺新禧、新年大吉等。我等素信佛法之人，当此万象更新时，亦应一新乃可。我等所谓新者何，亦如常人贴新春联、著新衣等以为新乎？曰：不然。我等所谓新者，乃是改过自新也。但“改过自新”四字范围太广，若欲演讲，不知从何说起。今且就余五十年来修省改过所实验者，略举数端为诸君言之。

余于讲说之前，有须预陈者，即是以下所引诸书，虽多出于儒书，而实合于佛法。因谈玄说妙修证次第，自以佛书最为详尽。而我等初学之人，持躬敦品、处事接物等法，虽佛书中亦有说者，但儒书所说，尤为明白详尽适于初学。故今多引之，以为吾等学佛法者之一助焉。以下分为总论别示二门。

一

总论者，即是说明改过之次第：

一、学　须先多读佛书儒书，详知善恶之区别及改过迁善之法。倘因佛儒诸书浩如烟海，无力遍读，而亦难于了解者，可以先读《格言联璧》一部。余自儿时，即读此书。归信佛法以后，亦常常翻阅，甚觉其亲切而有味也。此书佛学书局有排印本甚精。

二、省　既已学矣，即须常常自行省察，所有一言一动，为善欤，为恶欤？若为恶者，即当痛改。除时时注意改过之外，又于每日临睡时，再将一日所行之事，详细思之。能每日写录日记，尤善。

三、改　省察以后，若知是过，即力改之。诸君应知改过之事，乃是十分光明磊落，足以表示伟大之人格。故子贡云：“君子之过也，如日月之食焉；过也人皆见之，更也人皆仰之。”又古人云：“过而能知，可以谓明。知而能改，可以即圣。”诸君可不勉乎！

二

别示者，即是分别说明余五十年来改过迁善之事。但其事甚多，不可胜举。今且举十条为常人所不甚注意者，先与诸君言之。《华严经》中皆用十之数目，乃是用十以表示无尽之意。今余说改过之事，仅举十条，亦尔；正以示余之过失甚多，实无尽也。此次讲说时间甚短，每条之中仅略明大意，未能详言，若欲知者，且俟他日面谈耳。

一、虚心

常人不解善恶，不畏因果，决不承认自己有过，更何论改？但古圣贤则不然。今举数例：孔子曰："五十以学易，可以无大过矣。"又曰："闻义不能徙，不善不能改，是吾忧也。"蘧伯玉为当时之贤人，彼使人于孔子。孔子与之坐而问焉，曰："夫子何为？"对曰："夫子欲寡其过而未能也。"圣贤尚如此虚心，我等可以贡高自满乎！

二、慎独

吾等凡有所作所为，起念动心，佛菩萨乃至诸鬼神等，无不尽知尽见。若时时作如是想，自不敢胡作非为。曾子曰："十目所视，十手所指，其严乎！"又引《诗》云："战战兢兢，如临深渊，如履薄冰。"此数语为余所常常忆念不忘者也。

三、宽厚

造物所忌，曰刻曰巧。圣贤处事，惟宽惟厚。古训甚多，今不详录。

四、吃亏

古人云："我不识何等为君子，但看每事肯吃亏的便是。我不识何等为小人，但看每事好便宜的便是。"古时有贤人某临终，子孙请遗训，贤人曰："无他言，尔等只要学吃亏。"

五、寡言

此事最为紧要。孔子云："驷不及舌。"可畏哉！古训甚多，今不详录。

六、不说人过

古人云："时时检点自己且不暇，岂有功夫检点他人。"孔子亦云："躬自厚而薄责于人。"以上数语，余常不敢忘。

七、不文己过

子夏曰：“小人之过也必文。”我众须知文过乃是最可耻之事。

八、不覆己过

我等倘有得罪他人之处，即须发大惭愧，生大恐惧。发露陈谢，忏悔前愆。万不可顾惜体面，隐忍不言，自诳自欺。

九、闻谤不辩

古人云：“何以息谤？曰：无辩。”又云：“吃得小亏，则不至于吃大亏。”余三十年来屡次经验，深信此数语真实不虚。

十、不瞋

瞋习最不易除。古贤云：“二十年治一怒字，尚未消磨得尽。”但我等亦不可不尽力对治也。《华严经》云：“一念嗔心，能开百万障门。”可不畏哉！

三

因限于时间，以上所言者殊略，但亦可知改过之大意。最后，余尚有数言，愿为诸君陈者：改过之事，言之似易，行之甚难。故有屡改而屡犯，自己未能强作主宰者，实由无始宿业所致也。务请诸君更须常常持诵阿弥陀佛名号，观世音地藏诸大菩萨名号，至诚至敬，恳切忏悔无始宿业，冥冥中自有不可思议之感应。承佛菩萨慈力加被，业消智朗，则改过自新之事，庶几可以圆满成就，现生犹入圣贤之域，命终往生极乐之邦，此可为诸君预贺者也。

常人于新年时，彼此晤面，皆云恭喜，所以贺其将得名利。余此次于新年时，与诸君晤面，亦云恭喜，所以贺诸君将能真实改过不久将为贤为圣；不久决定往生极乐，速成佛道，分身十方，普能利益一切众生耳。

（1933 年 1 月 26 日（农历春节）在厦门妙释寺讲）

改习惯

癸酉在泉州承天寺讲

吾人因多生以来之夙习，及以今生自幼所受环境之熏染，而自然现于身口者，名曰习惯。

习惯有善有不善，今且言其不善者。常人对于不善之习惯，而略称之曰习惯。今依俗语而标题也。

在家人之教育，以矫正习惯为主。出家人亦尔。但近世出家人，惟尚谈玄说妙。于自己微细之习惯，固置之不问。即自己一言一动，极粗显易知之习惯，亦罕有加以注意者。可痛叹也。

余于三十岁时，即觉知自己恶习惯太重，颇思尽力对治。出家以来，恒战战兢兢，不敢任情适意。但自愧恶习太重。二十年来，所矫正者百无一二。自今以后，愿努力痛改。更愿有缘诸道侣，亦皆奋袂兴起，同致力于此也。

吾人之习惯甚多。今欲改正，宜依如何之方法耶？若胪列多条，而一时改正，则心劳而效少，以余经验言之，宜先举一条乃至三四条，逐日努力检点，既已改正，后再逐渐增加可耳。

今春以来，有道侣数人，与余同研律学，颇注意于改正习惯。数月以来，稍有成效。今愿述其往事，以告诸公。但诸公欲自改其习惯，不必尽依此数条，尽可随宜酌定。余今所述者，特为诸公作参考耳。

学律诸道侣，已改正习惯，有七条。

一、食不言。现时中等以上各寺院，皆有此制，故改正甚易。

二、不非时食。初讲律时，即由大众自己发心，同持此戒。后来学者亦尔。遂成定例。

三、衣服朴素整齐。或有旧制，色质未能合宜者，暂作内衣，外罩如法之服。

四、别修礼诵等课程。每日除听讲、研究、钞写及随寺众课诵外，皆别自立礼诵等课程，尽力行之。或有每晨于佛前跪读《法华经》者，或有读《华严经》者，或有读《金刚经》者，或每日念佛一万以上者。

五、不闲谈。出家人每喜聚众闲谈，虚丧光阴，废弛道业，可悲可痛！今诸道侣，已能渐除此习。每于食后、或傍晚、休息之时，皆于树下檐边，或经行、或端坐、若默诵佛号、若朗读经文、若默然摄念。

六、不阅报。各地日报，社会新闻栏中，关于杀盗淫妄等事，记载最详。而淫欲诸事，尤描摹尽致。虽无淫欲之人，常阅报纸，亦必受其熏染。此为现代世俗教育家所痛慨者。故学律诸道侣，近已自己发心不阅报纸。

七、常劳动。出家人性多懒惰，不喜劳动。今学律诸道侣，皆已发心，每日扫除大殿及僧房檐下，并奋力作其他种种劳动之事。

以上已改正之习惯，共有七条。

尚有近来特实行改正之二条，亦附列于下：

一、食碗所剩饭粒。印光法师最不喜此事。若见剩饭粒者，即当面痛呵斥之。所谓施主一粒米，恩重大如山也。但若烂粥烂面留滞碗上不易除去者，则非此限。

二、坐时注意威仪。垂足坐时，双腿平列。不宜左右互相翘架，更不宜耸立或直伸。余于在家时，已改此习惯。且现代出家人普通之威仪，亦不许如此。想此习惯不难改正也。

总之，学律诸道侣，改正习惯时，皆由自己发心。决无人出命令而禁止之也。

（三十八年农历端阳前夕子时于榕舍外院）

最后之□□[1]

戊寅十一月十四日在南普陀寺佛教养正院同学会席上讲　瑞今记

佛教养正院已办有四年了。诸位同学初来的时候，身体很小，经过四年之久，身体皆大起来了，有的和我也差不多。啊！光阴很快。人生在世，自幼年至中年，自中年至老年，虽然经过几十年之光景，实与一会儿差不多。就我自己而论，我的年纪将到六十了，回想从小孩子的时候起到现在，种种经过如在目前。啊！我想我以往经过的情形，只有一句话可以对诸位说，就是“不堪回首”而已。

我常自己来想，啊！我是一个禽兽吗？好像不是，因为我还是一个人身。我的天良丧尽了吗？好像还没有，因为我尚有一线天良常常想念自己的过失。我从小孩子起一直到现在都埋头造恶吗？好像也不是，因为我小孩子的时候，常行袁了凡的功过格，三十岁以后，很注意于修养，初出家时，也不是没有道心。虽然如此，但出家以后一直到现在，便大不相同了：因为出家以后二十年之中，一天比一天堕落，身体虽然不是禽兽，而心则与禽兽差不多。天良虽然没有完全丧尽，但是昏愦糊涂，一天比一天利害，抑或与天良丧尽也差不多了。讲到埋头造恶的一句话，我自从出家以后，恶念一天比一天增加，善念一天比一天退失，一直到现在，可以说是醇乎其醇的一个埋头造恶的人，这个也无须客气也无须谦让了。

就以上所说看起来，我从出家后已经堕落到这种地步，真可令人惊叹；其中到闽南以后十年的功夫，尤其是堕落的堕落。去年春间曾经在养正院讲过一次，所讲的题目，就是“南闽十年之梦影”，那一次所讲的，字字之中，都可以看到我的泪痕，诸位应当还记得吧。

可是到了今年，比去年更不像样子了；自从正月二十到泉州，这两个月之中，弄得不知所云。不只我自己看不过去；就是我的朋友也说我以前如闲云野鹤，独往独来，随意栖止，何以近来竟大改常度，到处演讲，常常见客，时时

---

① 本文收入《晚晴老人讲演录》时，标题后二字空缺，根据弘一大师本意及通篇主旨，这两字应该是“忏悔”，亦即“最后之忏悔”，意在表明其“悔过自新”之意。

宴会，简直变成一个“应酬的和尚”了，这是我的朋友所讲的。啊！“应酬的和尚”，这五个字，我想我自已近来倒很有几分相像。

如是在泉州住了两个月以后，又到惠安到厦门到漳州，都是继续前稿：除了利养，还是名闻，除了名闻，还是利养。日常生活，总不在名闻利养之外。虽在瑞竹岩住了两个月，稍少闲静，但是不久，又到祈保亭冒充善知识，受了许多的善男信女的礼拜供养，可以说是惭愧已极了。

九月又到安海，住了一个月，十分的热闹。近来再到泉州，虽然时常起一种恐惧厌离的心，但是仍不免向这一条名闻利养的路上前进。可是近来也有一件可庆幸的事，因为我近来得到永春十五岁小孩子的一封信。他劝我以后不可常常宴会，要养静用功；信中又说起他近来的生活，如吟诗、赏月、看花、静坐等，洋洋千言的一封信。啊！他是一个十五岁的小孩子，竟有如此高尚的思想，正当的见解。我看到他这一封信，真是惭愧万分了。我自从得到他的信以后，就以十分坚决的心，谢绝宴会，虽然得罪了别人，也不管他，这个也可算是近来一件可庆幸的事了。

虽然是如此，但我的过失也太多了，可以说是从头至足，没有一处无过失，岂只谢绝宴会，就算了结了吗？尤其是今年几个月之中，极力冒充善知识，实在是太为佛门丢脸。别人或者能够原谅我；但我对我自己，绝对不能够原谅，断不能如此马马虎虎的过去。所以我近来对人讲话的时候，绝不顾惜情面，决定赶快料理没有了结的事情，将“法师”“老法师”“律师”等名目，一概取消，将学人侍者等一概辞谢；孑然一身，遂我初服，这个或者亦是我一生的大结束了。

啊！再过一个多月，我的年纪要到六十了。像我出家以来，既然是无惭无愧，埋头造恶，所以到现在所做的事，大半支离破碎不能圆满，这个也是份所当然。只有对于养正院诸位同学，相处四年之久，有点不能忘情；我很盼望养正院从此以后，能够复兴起来，为全国模范的僧学院。可是我的年纪老了，又没有道德学问，我以后对于养正院，也只可说“爱莫能助”了。

啊！与诸位同学谈得时间也太久了，且用古人的诗来作临别赠言。诗云：□□□□□□□①，万事都从缺陷好。吟到夕阳山外山，古今谁免余情绕。

①此句在《晚晴老人讲演录》中空缺，原诗系清代龚自珍所做，首名为“未济终焉心飘渺”。

略述印光大师之盛德

在泉州檀林福林寺念佛期讲

大师为近代之高僧，众所钦仰。其一生之盛德，非短时间所能叙述。今先略述大师之生平，次略举盛德四端，仅能于大师种种盛德中，粗陈其少分而已。

一　略述大师之生平

大师为陕西人。幼读儒书，二十一岁出家，三十三岁居普陀山，历二十年，人鲜知者。至民国元年，师五十二岁时，始有人以师文隐名登入上海《佛学丛报》者。民国六年，师五十七岁，乃有人刊其信稿一小册。至民国七年，师五十八岁，即余出家之年，是年春，乃刊文钞一册，世遂稍有知师名者。以后续刊文钞二册，又增为四册，于是知名者渐众。有通信问法者，有亲至普陀参礼者。民国十九年，师七十岁，移居苏州报国寺。此后十年，为弘法最盛之时期。民国二十六年，战事起，乃移灵岩山，遂兴念佛之大道场。二十九年十一月初四日生西。生平不求名誉，他人有作文赞扬师德者，辄痛斥之。不贪蓄财物，他人供养钱财者至多。师以印佛书流通，或救济灾难等。一生不畜剃度弟子，而全国僧众多钦服其教化。一生不任寺中住持监院等职，而全国寺院多蒙其护法，各处寺房或寺产，有受人占夺者，师必为尽力设法以保全之。故综观师之一生而言，在师自己决不求名利恭敬，而于实际上，能令一切众生皆受莫大之利益。

二　略举盛德之四端

大师盛德至多，今且举常人之力所能随学者四端，略说述之。因师之种种盛德，多非吾人所可及，今所举之四端，皆是至简至易，无论何人，皆可依此而学也。

甲　习劳

大师一生，最喜自作劳动之事。余于民国十三年曾到普陀山，其时师年六十四岁，余见师一人独居，事事躬自操作，别无侍者等为之帮助。直至去年，师年八十岁。每日仍自己扫地，拭几，擦油灯，洗衣服。师既如此习劳，为常人作模范，故见人有懒惰懈怠者，多诫劝之。

乙　惜福

大师一生，于惜福一事最为注意。衣食住等，皆极简单粗劣，力斥精美。民国十三年，余至普陀山，居七日，每日自晨至夕，皆在师房内观察师一切行为。师每日晨食仅粥一大碗，无菜。师自云："初至普陀时，晨食有咸菜，因北方人吃不惯，故改为仅食白粥，已三十余年矣。"食毕，以舌舐碗，至极净为止。复以开水注入碗中，涤荡其余汁，即以之嗽口，旋即咽下，惟恐轻弃残余之饭粒也。至午食时，饭一碗，大众菜一碗。师食之，饭菜皆尽。先以舌舐碗，又注入开水涤荡以嗽口，与晨食无异。师自行如是，而劝人亦极严厉。见有客人食后，碗内剩饭粒者，必大呵曰："汝有多么大的福气？竟如此糟蹋!"此事常常有，余屡闻及人言之。又有客人以冷茶泼弃痰桶中者，师亦呵诫之。以上且举饭食而言。其他惜福之事，亦均类此也。

丙　注重因果

大师一生最注重因果，尝语人云："因果之法，为救国救民之急务。必令人人皆知现在有如此因，将来即有如此果，善有善报，恶有恶报。欲挽救世道人心，必须于此入手。"大师无论见何等人，皆以此理痛切言之。

丁　专门念佛

大师虽精通种种佛法，而自行劝人，则专依念佛法门。师之在家弟子，多有曾受高等教育及留学欧美者。而师决不与彼等高谈佛法之哲理，唯一一劝其专心念佛。彼弟子辈闻师言者，亦皆一一信受奉行，决不敢轻视念佛法门而妄生疑议。此盖大师盛德感化有以致之也。

以上所述，因时间短促，未能详尽，然即此亦可略见大师盛德之一斑。若欲详知，有上海出版之《印光大师永思集》，泉州各寺当有存者，可以借阅。今日所讲者止此。

人生之最后

岁次壬申十二月，厦门妙释寺念佛会请余讲演，录写此稿。于时了识律师卧病不起，日夜愁苦。见此讲稿，悲欣交集，遂放下身心，屏弃医药，努力念佛。并扶病起，礼大悲忏，吭声唱诵，长跽经时，勇猛精进，超胜常人。见者闻者，靡不为之惊喜赞叹，谓感动之力有如是剧且大耶。余因念此稿虽仅数纸，而皆撮录古今嘉言及自所经验，乐简略者或有所取。乃为治定，付刊流布焉。弘一演音记。

第一章　绪　言

古诗云："我见他人死，我心热如火，不是热他人，看看轮到我。"人生最后一段大事岂可须臾忘耶。今为讲述，次分六章，如下所列。

第二章　病重时

当病重时应将一切家事及自己身体悉皆放下。专意念佛，一心希冀往生西方。能如是者，如寿已尽，决定往生。如寿未尽，虽求往生而病反能速愈，因心至专诚，故能灭除宿世恶业也。倘不如是放下一切专意念佛者，如寿已尽，决定不能往生，因自己专求病愈不求往生，无由往生故。如寿未尽，因其一心希望病愈，妄生忧怖，不惟不能速愈，反更增加病苦耳。

病未重时，亦可服药，但仍须精进念佛，勿作服药愈病之想。病既重时，可以不服药也。余昔卧病石室，有劝延医服药者，说偈谢云："阿弥陀佛，无上医王，舍此不求，是谓痴狂。一句弥陀，阿伽陀药，舍此不服，是谓大错。"因平日既信净土法门，谆谆为人讲说。今自患病何反舍此而求医药，可不谓为痴狂大错耶。若病重时痛苦甚剧者，切勿惊惶。因此病苦，乃宿世业障。或亦是转未来三途恶道之苦，于今生轻受，以速了偿也。

自己所有衣服诸物，宜于病重之时，即施他人。若依《地藏菩萨本愿经如来赞叹品》所言供养经像等，则弥善矣。

若病重时，神识犹清，应请善知识为之说法，尽力安慰。举病者今生所修善业，一一详言而赞叹之，令病者心生欢喜，无有疑虑。自知命终之后，承斯善业，决定生西。

第三章　临终时

临终之际，切勿询问遗嘱，亦勿闲谈杂话。恐彼牵动爱情，贪恋世间，有碍往生耳。若欲留遗嘱者，应于康健时书写，付人保藏。

倘自言欲沐浴更衣者，则可顺其所欲而试为之。若言不欲，或噤口不能言者，皆不须强为。因常人命终之前，身体不免痛苦。倘强为移动沐浴更衣，则痛苦将更加剧。世有发愿生西之人，临终为眷属等移动扰乱，破坏其正念，遂致不能往生者，甚多甚多。又有临终可生善道，乃为他人误触，遂起瞋心，而牵入恶道者，如经所载阿耆达王死堕蛇身，岂不可畏。

临终时或坐或卧，皆随其意，未宜勉强。若自觉气力衰弱者，尽可卧床，勿求好看勉力坐起。卧时，本应面西右胁侧卧。若因身体痛苦，改为仰卧，或面东左胁侧卧者，亦任其自然，不可强制。

大众助念佛时，应请阿弥陀佛接引像，供于病人卧室，令彼瞩视。

助念之人，多少不拘。人多者，宜轮班念，相续不断。或念六字，或念四字，或快或慢，皆须预问病人，随其平日习惯及好乐者念之，病人乃能相随默念。今见助念者皆随己意，不问病人，既已违其平日习惯及好乐，何能相随默念。余愿自今以后，凡任助念者，于此一事切宜留意。

又寻常助念者，皆用引磬小木鱼。以余经验言之，神经衰弱者，病时甚畏引磬及小木鱼声，因其声尖锐，刺激神经，反令心神不宁。若依余意，应免除引磬小木鱼，仅用音声助念，最为妥当或改为大钟大磬大木鱼，其声宏壮，闻者能起肃敬之念，实胜于引磬小木鱼也。但人之所好，各有不同。此事必须预先向病人详细问明，随其所好而试行之。或有未宜，尽可随时改变，万勿固执。

第四章　命终后一日

既已命终，最切要者，不可急忙移动。虽身染便秽，亦勿即为洗涤。必须经过八小时后，乃能浴身更衣。常人皆不注意此事，而最要紧。惟望广劝同人，依此谨慎行之。

命终前后，家人万不可哭。哭有何益，能尽力帮助念佛乃于亡者有实益耳。若必欲哭者，须俟命终八小时后。

顶门温暖之说，虽有所据，然亦不可固执。但能平日信愿真切，临终正念分明者，即可证其往生。

命终之后，念佛已毕，即锁房门。深防他人入内误触亡者。必须经过八小时后，乃能浴身更衣。（前文已言，今再谆嘱，切记切记。）因八小时内若移动者，亡人虽不能言，亦觉痛苦。

八小时后着衣，若手足关节硬，不能转动者，应以热水淋洗。用布搅热水，围于臂肘膝弯。不久即可活动，有如生人。

殓衣宜用旧物，不用新者。其新衣应布施他人，能令亡者获福。

不宜用好棺木，亦不宜做大坟。此等奢侈事，皆不利于亡人。

第五章　荐亡等事

七七日内，欲延僧众荐亡，以念佛为主。若诵经拜忏焰口水陆等事，虽有不可思议功德，然现今僧众视为具文，敷衍了事，不能如法，罕有实益。《印光法师文钞》中屡斥诫之，谓其惟属场面，徒作虚套。若专念佛，则人人能念，最为切实，能获莫大之利矣。

如请僧众念佛时，家族亦应随念。但女众宜在自室或布帐之内，免生讥议。

凡念佛等一切功德，皆宜回向普及法界众生，则其功德乃能广大。而亡者所获利益，亦更因之增长。

开吊时宜用素斋，万勿用荤，致杀害生命，大不利于亡人。

出丧仪文，切勿铺张。毋图生者好看，应为亡者惜福也。

七七以后，亦应常行追荐，以尽孝思。莲池大师谓年中常须追荐先亡。不得谓已得解脱，遂不举行耳。

李叔同作品精选 · 海珍拾贝

综师一生，为翩翩之佳公子，为激昂之志士，为多才之艺人，为严肃之教育者，为戒律精严之头陀，而以倾心西极，吉祥善逝。

——夏丏尊

呜呼！词章！

予到东后，稍涉猎日本唱歌，其词意袭用我古诗者，约十之九五。（日本作歌大家，大半善汉语。）我国近世以来，士习帖括，词章之学，佥蔑视之。挽近西学输入，风靡一时，词章之名辞，几有消灭之势。不学之徒，习为薮昌，诋淇故典，废弃雅言。迨见日本唱歌，反啧啧，称其理想之奇妙。凡吾古诗之唾余，皆认为岛夷所固有。既齿冷于大雅，亦贻笑于外人矣。（日本学者，皆通史记汉书。昔有日本人，举史汉事迹，置诸吾国留学生，而留学生，茫然不解所谓，且不知《史记》《汉书》为何物，致使日本人传为笑柄。）

谈写字的方法

我到闽南这边来，已经有十年之久了。

前几年冬天的时候，我也常到南普陀寺来，看到大殿、观音殿及两廊旁边的栏杆上，排列了很多很多的花，尤其正在过年的时候，更是多得很，多得很。

其中有一种名叫做“一品红”的（按闽南人称为圣诞花，其顶端之叶均作红色。学名为 Euphorbia Pulcherrima)，颜色非常的鲜明，非常的好看，可以说是南国特有的一种风味，特有的色彩。每当残冬过去、春天快到来的时候，把它摆出来，好像是迎春的样子，而气象确也为之一新。

我于去年冬天到这里来，心中本来预料着，以为可以看到许多的“一品红”了。岂知一到的时候，空空洞洞，所看到的，尽是其他的花草，因而感到很伤心。为什么？以前那么多的“一品红”，现在到哪里去了呢？找来找去，找了很久，只在那新功德楼的地方，发现了三棵，都是憔悴不堪，颜色不大鲜明很怨惨的样子。也没有什么人要去赏玩了。于是使我联想到佛教养正院：过去的时候，也曾经有很光荣的历史，像那些“一品红”一样，欣欣向荣，有无限的生机；可是现在，则有些衰败的气象了。

养正院开办已经三年了，这其间，自然有很多可纪念的史迹，可是观察其未来，则很替它悲观，前途很不堪设想。我现在在南普陀这里，还可以看到养正院的招牌，下一次再来的时候，恐怕看不到了。这一次，也许可以说是我“最后的演讲”。

这一次所要讲的，是这里几位学生的意思——要我来讲《关于写字的方法》。

我想写字这一回事，是在家人的事，出家人讲究写字有什么意思呢？所以，这一次讲写字的方法，我觉得很不对。因为出家人假如只会写字，其他的学问一点不知道，尤其不懂得佛法，那可以说是佛门的败类。须知出家人不懂得佛法，只会写字，那是可耻的。出家人唯一的本分，就是要懂得佛法，要研究佛法。不过，出家人并不是绝对不可以讲究写字的，但不可用全副精神，去应付写字就对了；出家人固应对于佛法全力研究，而于有空的时候，写写字也未尝不可。写字如果写到了有个样子，能写对联或中堂来送与人，以作弘法的一种工具，也不是无益的。

倘然只能写得几个好字，若不专心学佛法，虽然人家赞美他字写得怎样的好，那不过是“人以字传”而已。我觉得：出家人字虽然写得不好，若是很有道德，那么他的字是很珍贵的，结果都是能够“字以人传”；如果对于佛法没有研究，而是没有道德，纵能写得很好的字，这种人在佛教中是无足轻重的了。他的人本来是不足传的。即能“人以字传”——这是一桩可耻的事，就是在家人也是很可耻的。

今天虽然名为讲写字的方法，其实我的本意是：要劝诸位来学佛法的。因为大家有了行持，能够研究佛法，才可利用闲暇时间，来谈谈写字的法子。

关于写字的源流、派别，以及笔法、章法、用墨……古人已经讲得很清楚了。而且有很多的书可以参考，我不必多讲。现在只就我个人关于写字的心得及经验，随便来说一说。

诸位写字的成绩很不错。但是每天每个人只限定写一张，而且只有一个样子，这是不对的。每天练习写字的时候，应该将篆书、大楷、中楷、小楷四个样子，都要多多的写与练习。如果没有时间，关于中楷可以略掉；至于其他的字样，是缺一不可的。且要多多的练习才对。我有一点意见，要贡献给诸位，下面所说的几种方法，我认为是很重要的。

二

我对于发心学字的人，总是劝他们：先由篆字学起。为什么呢？有几种理由：

（一）可以顺便研究说文，对于文字学，便可以有一点常识了。因为一个字一个字都有它的来源，并不是凭空虚构的，关于一笔一划，都不能随随便便乱写的。若不学篆书，不研究说文，对于字学及文字的起源就不能明白——简直可以说是不认得字啊！所以写字若由篆书入手，不但写字会进步，而且也很有兴味的。

（二）能写篆字以后，再学楷书，写字时一笔一划，也就不会写错的了。我以前看到养正院几位学生所抄写的稿子，写错的字很多很多。要晓得：写错了字，是很可耻的——这正如学英文的人一样，不能把字母拼错一个。若拼错了字，人家怎么认识呢？写错了我们自己的汉文字，更是不可以的。我们若先学会了篆书，再写楷字时，那就可以免掉很多错误。此外，写篆字也可以为写隶书、楷书、行书的基础。学会了篆字之后，对于写隶书、楷书、行书就都很容易——因为篆书是各种写字的根本。

若要写篆字的话，可先参看《说文》这一类的书。有一部清人吴大澂的《说文部首》，那是不可缺少的。因为这部书很好，便于初学，如果要学写字的话，先研究这一部书最好。

既然要发心学写字的话，除了写篆字而外，还有大楷、中楷、小楷，这几样都应当写。我以前小孩子的时候，都通通写过的。至于要学一尺二尺的字，有一个很简便的方法：那就可用大砖来写，平常把四块大砖拼合起来，做成桌子的样子，而且用架子架起来，也可当桌子用；要学写大字，却很方便，而且一物可供两用了。

大笔怎样得到呢？可用麻扎起来做大笔，要写时，就可以任意挥毫。大砖在南方也许不多，这里倒有一个方法可以替代：就是用水门汀拼起来成为桌子。而用麻来写字，都是一样的。这样一来，既可练习写字，而纸及笔，也就经济得多了。

篆书、隶书乃至行书都要写，样样都要学才好；一切碑帖也都要读，至少要浏览一下才可以。照以上的方法学了一个时期以后，才可专写一种或专写一体。这是由博而约的方法。

三

至于用笔呢？算起来有很多种，如羊毫、狼毫、兔毫等。普通是用羊毫，紫毫及狼毫亦可用，并不限定哪一种。最要注意的一点，就是写大字需用大笔，千万不可用小笔！用小的笔写大字，那是很错误的。宁可用大笔写小字，不可以用小笔写大字。

还有纸的问题。市上所售的油光纸是很便宜的，但太光滑很难写。若用本地所产的粗纸，就无此毛病的了。我的意思：高年级的同学可用粗纸，低年级的可用油光纸。

此地所用的有格子的纸，是不大适合的，和我们从前的九宫格的纸不同。以我的习惯而论，我用九宫格的方法，就不是这个样子。现在画在下面，并说明我的用法：

若用这种格子的纸，写起字来，很方便的，这样一来，每个字都有规矩绳墨可守的。如写大楷时，两线相交的地方，成了一个十字形，就不致上下左右不相对称了。要晓得：写字总不能随随便便。每个字的地位要很正，要不偏左不偏右，不上不下，要有一定的标准。因为线有中心点，初学时注意此线，则写起来，自然会适中很“落位”了。

平常写字时，写这个字，眼睛专看这个字，其余的字就不管，这也是不对的。因为上面的字，与下面的字都有关系的——即全部分的字，不论上下左右，都须连贯才可以。这一点很要紧，须十分注意。不可以只管写一个字，其余的一切不去管它。因为写字要使全体都能够配合，不能单就每个字去看的。

再有一点须注意的：当我们写字的时候，切不可倚在桌上，须使腕高高地悬起来，才可以运用如意。

写中楷悬腕固好，假如肘部要倚着，那也无妨。至于小楷，则可以倚在桌上，不必悬腕的。

四

以上所说的，是写字的初步法门。现在顺便讲讲关于写对联、中堂、横披、条幅等的方法。

我们写对联或中堂，就所写的一幅字而论，是应该有章法的。普通的一幅中堂，论起优劣来，有几种要素须注意的。现在估量其应得的分数如下：

章法五十分；

字三十五分；

墨色五分；

印章十分。

就以上四种要素合起来，总分数可以算一百分。其中并没有平均的分数。我觉得其差异及分配法，当照上面所分配的样子才可以。

一般人认为每个字都很要紧，然而依照上面的记分，只有三十五分。大家也许要怀疑，为什么章法反而分数占多数呢？就章法本身而论，它之所以占着重要的原因，理由很简单，在艺术上有所谓三原则。即：

（一）统一；

（二）变化；

（三）整齐。

这在西洋绘画方面是认为很重要的。我便借来用在此地，以批评一幅字的好坏。我们随便写一张字，无论中堂或对联，普通将字排起来，或横或直，首先要能够统一，字与字之间，彼此必须相联络互相关系才好。但是单止统一也不能的，呆板也是不可以的，须当变化才好。若变化得太厉害，乱七八糟，当然不好看。所以必须注意彼此互相连络、互相关系才可以的。

就写字的章法而论大略如此。说起来虽很简单，却不是一蹴可就的。这需要经验的、多多地练习，多看古人的书法以及碑帖，养成赏鉴艺术的眼光，自己能常去体认，从经验中体会出来，然后才可以慢慢地养成有所成就。

所谓墨色要怎样才可以？即质料要好，而墨色要光亮才对。还有印章盖坏了，也是不可以的。盖的地方要位置设中，很落位才对。所谓印章，当然要刻得好；印章上的字须写得好。至于印色，也当然要好的。盖用时，可以盖一颗两颗。印章有圆的方的，大的小的不一，且有种种的区别。如何区别及使用呢？那就要于写字之后再注意盖用，因为它也可以补救写字时章法的不足。

五

以上所说的，是关于写字的基本法则。可当做一种规矩及准绳讲，不过是一种呆板的方法而已。

写字最好的方法是怎样，用哪一种的方法才可以达到顶好顶好的呢？我想诸位一定很热心的要问。

我想了又想，觉得想要写好字，还是要多多地练习，多看碑，多看帖才对，那就自然可以写得好了。

诸位或者要说，这是普通的方法，假如要达到最高的境界须如何呢？我没有办法再回答。曾记得《法华经》有云："是法非思量分别之所能解。"我便借用这句子，只改了一个字。那就是"是字非思量分别之所能解"了。因为世间上无论哪一种艺术，都是非思量分别之所能解的。

即以写字来说，也是要非思量分别，才可以写得好的；同时要离开思量分别，才可以鉴赏艺术，才能达到艺术的最上乘的境界。

记得古来有一位禅宗的大师，有一次人家请他上堂说法，当时台下的听众很多，他登台后默默地坐了一会儿，以后即说："说法已毕。"便下堂了。所以，今大就写字而论，讲到这里，我也只好说："谈写字已毕了。"

假如诸位用一张白纸（完全是白的），没有写上一个字，送给教你们写字的法师看，那么他一定说："善哉，善哉！写得好，写得好！"

诸位听了我所讲的以后，要明白我的意思——学佛法最为要紧。如果佛法学得好，字也可以写得好的。不久会泉法师要在妙释寺讲《维摩经》，诸位有空的时候，要去听讲，要注意研究。经典多多地参考，才能懂得佛法。

我觉得最上乘的字或最上乘的艺术，在于从学佛法中得来，要从佛法中研究出来，才能达到最上乘的地步。所以，诸位若学佛法有一分的深入，那么字也会有一分的进步，能十分的去学佛法，写字也可以十分的进步。

今天所说的已经很够了。奉劝诸位：以后要勤求佛法，深研佛法。

（高文显　记录）

图画修得法

我国图画，发达盖早。黄帝时史皇作绘，图画之术，实肇乎是。有周聿兴，司绘置专职，兹事浸盛。汉唐而还，流派灼著，道乃烈矣。顾秩序杂遝，教授鲜良法，浅学之士，靡自窥测。又其涉想所及，狃于故常，新理眇法，匪所加意，言之可为于邑。不佞航海之东，忽忽逾月，耳目所接，辄有异想。冬夜多暇，掇拾日儒柿山、松田两先生之言，间以己意，述为是编。夫唯大雅，倘有取于斯欤？

第一章　图画之效力

浑浑圆球，汶汶众生，洪荒而前，为萌为芽，吾靡得而论矣。迨夫社会发达，人类之思想浸以复杂。而达兹思想者，厥有种种符号。思想愈复杂，符号愈精密。其始也蟠屈其指，作式以代，艰苦万状，阙略滋繁。厥后代以语言，发为声响，凡一己之思想感情，佥能婉转以达之，为用便矣。然范围至狭，时间綦促，声响飘忽，霎不知其所极，其效用犹未为完全也。于是制文字、尚纪录，传诸久远，俾以不朽。虽然社会者，经岁月而愈复杂者也，吾人之思想感情，亦复杂日进，殆鲜底止。而语言文字之功用，有时或穷。例如今有人千百，状人人殊，必一一形容其姿态服饰，纵声之舌，笔之书，匪涉冗长，即病疏略，殆犹不毋遗憾焉。而以所以弥兹遗憾济语言文字之穷者，是有道焉。厥道为何？曰唯图画。

图画者，为物至简单，为状至明确。举人世至复杂之思想感情，可以一览得之。挽近以还，若书籍、若报章、若讲义，非不佐以图画，匡文字语言之不逮。效力所及，盖有如此。

说者曰：图画者娱乐的，非实用的。虽然，图画之范围綦广，非娱乐的一端所能括也。夫图画之效力，与语言文字同，其性质亦复相似。脱以图画属娱乐的，又何解于语言文字？倡优曼辞独非语言，然则闻倡优曼辞，亦谓语言属娱乐的乎？小说传奇独非文字，然则诵小说传奇，亦谓文字属娱乐的乎？三尺童子当知其不然矣。人有恒言曰：言语之发达，与社会之发达相关系，今请易其说曰：图画之发达，与社会之发达相关系，蔑不可也。人有恒言曰：诗为无形之画，画为无声之诗。今请易其说曰：语言者无形之图画，图画者无声之语言，蔑不可也。若以专门技能言之，图画者美术工艺之源本。脱疑吾言，曷鉴泰西一千八百五十一年，英国设博览会，而英产工艺品居劣等。揆厥由来，则以笁守旧法故。爰憬然自省，定图画为国民教育必修科，不数稔，而英国制造品外观优美，依然震撼全欧。又若法国自万国大博览会以来，不惜财力时间劳力，以谋图画之进步，置图画教育视学官，以奖励图画。而法国遂为世界大美术国。其他若美若日本，佥模范法国，其美术工艺，亦日益进步。夫一叶之绢，一片之木，脱加装饰，顿易旧观。唯技术巧拙，各不相捋，价值高下，爰判等差。故有同质同量之物，其价值不无轩轾者，盖有由也。匪直兹也。图画家将绘某物，注意其外形姑勿论，甚至构成之原理，部分之分解，纵极纤屑，靡不加意。故图画者可以养成绵密之注意，锐敏之观察，确实之智识，强健之记忆，著实之想像，健全之判断，高尚之审美心。

（今严冷之实利主义，主张审美教育，即美其情操，启其兴味，高尚其人品之谓也。）

此图画之效力关系于智育者也。若夫发挥审美之情操，图画有最大之伟力。工图画者其嗜好必高尚，其品性必高洁。凡卑污陋劣之欲望，靡不扫除而淘汰之，其利用于宗教育道德上为尤著，此图画之效力关系于德育者也。又若为户外写生，旅行郊野，吸新鲜之空气，览山水之佳境，运动肢体，疏瀹精气，手挥目送，神为之怡，此又图画之效力关系于体育者也。

今举前所述者，括其大旨，表之如下：

- 图画之效力
  - 实质上
    - 普通之技能
    - 专门之技能
  - 形式上
    - 智育上
    - 德育上
    - 体育上

第二章　图画之种类

图画之种类至繁綦赜，匪一言所可殚。然以性质上言之，判图与画为两种，若建筑图、制作图、装饰图模样等。又不关于美术工艺上者，有地图、海图、见取图（示意图——编者）、测量图、解剖图等，皆谓之图，多假器械补助而成之。若画者，不以器械补助为主。今吾人所习见者，若额面（带框的画——编者）、若轴物、若画帖，皆普通画也。又以描写方法上言之，判为自在画与用器图两种。凡知觉与想像各种之象形、假目力及手指之微妙以描写者，曰自在画。依器械之规矩而成者，曰用器画。之二者为近今最普通之名称。表其分类之大略如下：

- 图画
  - 自在画
    - 日本画
      - 传自支那，颇多变化。今所存者，厥有数派。
        - 土佐派
        - 狩野派
        - 南宗派
        - 岸　派
        - 圆山派
        - 四条派
        - 浮世派
        - 新　派
          - 汇集诸派，参以西洋画之长，谓之新派。
    - 西洋画
      - 明治十年后，欧米输入者，流派颇繁，姑不具论。述其种类，
      - 大略如下：
        - 铅笔画
        - 擦笔画
        - 钢笔画
        - 水彩画
        - 油　绘
  - 用器画
    - 几何图
    - 投影图
    - 阴影图
    - 透视图

第三章　自在画概说

一、精神法　吾人见一画，必生一种特别之感情。若者滑稽，若者激烈，若者和蔼，若者高尚，若者潇洒，若者活泼，若者沈著，凡吾人感情所由及，即画之精神所由在。精神者千变万幻，非可执一以捌之者也。竹茎之硬直，柳枝之纤弱，兔之轻快，豚之鲁钝，其现象虽相反。其精神正以相反而见。殊于成心求之，偵矣。故作画者必于物体之性质、常习、动作，研核翔审，握管写，庶几近之。

二、位置法　论画与画面之关系曰位置法。普通之式，画面上方之空白，常较下方为多。特别之式，若飞鸟轻气球等自然之性质偏于上方，宜于下方多留空白，与普通之式正相反。又若主位偏于一方，有一部岐出，其岐出之地之空白，宜多于主位。其他向左方之人物，左方多空白。向右方之人物，右方多空白。位置大略，如是而已。

三、轮廓法　大宙万类，象形各殊。然其相似之点正复不少。集合相似之点，定轮廓法凡七种。

甲　竿状体火箸、鞭、杖、棒、旗竿、钓竿、枪、笔、帆樯、弓、矢、笛、锹、铳、军刀、筏乘等之器用；竹、兰草、女郎花等之禾本类隶焉。

乙　正方体（立方平板体，长立方体属此类）手巾、包袱、石板、书籍、书套、算盘、皮箱、箱子、方盒、砚台、笔袋、镜台、方圆章、方瓶、大盆、烟草盆、刷毛、尺、桥床、几、方椅方凳、马车、汽车、汽船、军舰、帆船、衣服折等之器用；马、牛、鼠、鹿、猫、犬等之兽类隶焉。

丙　球（椭圆卵形属此类）日、月、蹶球、达摩、假面、茶壶、茶碗、釜、地球仪、瓢帽、眼镜等之器用；桃、李、橘、梨、橙、柿、栗、枇杷、西瓜、南瓜、茄子，葫芦、水仙根、玉葱等之果实野菜类；鸠、家鸭、莺、燕、百舌、鹤、雀、鹭等之鸟类。各种之花类；有姿势之兔、鼠、金鱼、龟、茧等隶焉。

丁　方柱道标、桥栏、邮筒、书箱、纪念碑、五重塔、阶段、家屋等隶焉。

戊　方锥亭、街灯、金字塔、炭斗，或家屋、建筑物等隶焉。

巳　圆柱竹筒、印泥盒、饭桶、灯笼、鼓、手卷、千里镜、笔筒等之器用类；乌瓜、丝瓜、胡瓜、白瓜、萝卜、藕、荚豆等之野菜类：鱿、鳗、鲇等之鱼类隶焉。

庚　圆锥独乐、喇叭、笠、伞、蜡烛、桶、洋灯、杯、壶、臼、杵、锥、锚、电灯罩等隶焉。

又有结合七种之形态，成多角体之轮廓。凡花草虫鱼鸟兽人物山水等，属此类者甚多。

石膏模型用法

第一章　石膏模型为学图画者最良之范本

自来图画专门之练习，每取古代制作品及其复制品为范本。但近来于普通教育图画之练习，亦采用此法。其范本以用石膏制之模型为主。

普通教育设图画科，不仅练习手法，当以练习目力为主。此说为今日一般教育家所公认。因眼所见之物体，须知觉其正确之形状。此种知觉之能力，为一般人所不可缺。但依旧式临画之方法以养成此种之能力，至为困难。于是近年以来，欧美各国之普通教育，以实物写生为图画之正课，即用兼习临画者，亦加以种种限制。因临画之教式，教以一定之描写法，利用小巧手技似甚简便；然能减杀初学者之独创力，生依赖定式之恶习惯，且于目力之练习毫无裨益。教学图画者，当确信实物写生为第一良善之方法。

实物写生，取日常所用简单之器具为范本，固属有益。但初学者练习图线，以单纯之直线曲线构成之物体为宜。又练习阴影，以纯白之物体为宜。石膏模型，仿实物之形状，以美妙之直线与曲线构成，其色纯白，阴影处无色彩错乱之虞。阴阳浓淡之程度，容易判别。故学图画者，当确信石膏模型为实物写生用第一完全之范本。

石膏模型分二种：

一、摹仿古今雕塑之名品杰作之复制品

二、作者摹仿实物之创作品

写生练习用，以第一种为宜。因以艺术上之名作为范本，自能悟解线形及骨相纯正之状态，且可以养成审美之智识。

第二章　收藏法

石膏模型，质甚脆弱。最易破坏，且图画用之模型，以纯白为适用。故须注意收藏，不可使受尘埃及油烟。其它污点斑纹亦不可有。

石膏模型当贮藏于标本室，不可陈列于图画讲堂。因生徒常见此种标本，日久将毫无新奇之感情，故须另设收藏室，临画时再搬入讲堂。

第三章　教室之选定及室内之设备

写生用教室须高广，向北一面开玻璃窗。如以寻常教室充用，当由一面取光线。倘由二面或三面光线混入，模型之阴影将紊乱，初学者甚困难。

室内之设备，当依其室内之形状酌定，无一定之程式，模型或近壁或在室之中央。如近壁时，壁面以浓色为宜，否则亦可挂布幕以为模型之背影，俾生徒观察物形之外线能十分明瞭。模型台之高低，当与多数生徒之视线在同一之平位为适当（生徒座位前列低、后列高，最后列者每直立，故视线之高低不能统一）。

第四章　图画之材料

普通学校图画用纸，虽无一定之限制，但须择其纸质强固，纸面不甚光滑者为宜。描写之材料，有铅笔木炭及黑粉笔等。但其中以木炭为最适用。故西洋各普通学校皆专用木炭。日本之普通学校，从前专用铅笔，近亦兼用木炭。

水彩画略论

西洋画凡十数种，与吾国旧画法稍近者，唯水彩画。爰编纂其画法大略，凡十章。以浅近切实为的，或可为吾国自修者之一助焉。

第一章　水彩画材料

第一节　绘具箱

绘具箱即颜料盒，铁叶制，外涂黑色，内涂白色，中以铁叶分划隔开，贮各种绘具（即颜料）。绘具有两类。（甲）干制之绘具，与吾国之颜料相似，久藏不变色。惟用时须以笔搅之，易与他色相掺杂不能十分纯洁。然价值较廉，日本中小学校多用之。（乙）炼制之绘具，以溶解之颜料入铅管贮之，用时挤出少许，用毕所余之残色，弃去不再用。故其色清洁纯粹，无污染之虞。今日本水彩画家皆用之。

水彩绘具共有七十余种，必备者约十六色，其名如下：

	法　名	英　名
一	Blane de Chine	Chinese whine
二	Jaune de Citron	Lemon yellow
三	Cadmium Clair	Cadmium yellow pale
四	Cadmium fonce	and deep
五	Ochre jaune	Yellow ochre
六	Vermillon	Vermilion
七	Grance fonee	Rose madder
八	Grance rose dore	Pink madder
九	Ronze de pouzzolle	Light red
十	Violet de mars	Mars violet
十一	Vert emeraude	Veronese green
十二	Vert Vegetal	Hookers green
十三	Indigo	Indigo

十四	Bleu de Prusse	Prussian blue
十五	Bleu de Cobalt	Cobalt blue
十六	Bleu dontremer	Fnench ultra marine

今更说明其颜色并用法如下。

（一）Chinese white（以上皆单举英名）其质细而纯白，即吾国之铅粉。水彩画家常用之，与他色混合，不损他色。大抵光线极强之部分，与远景之空气，用之最为合宜。

（二）Lemon Yellow 淡黄色，混红色能得肉色。空之部份，又草叶树叶之柔和调子，常用之。

案调子者，色彩调和之谓，与音乐家所用之名词“调子”；文章家所用之名词“格调”，同一意义。

（三）（四）Cadmium Yellow Pale and deep 亦黄色，混红色或青色，能得华丽之色彩。（三）较淡，（四）较深。

（五）Yellow ochre 不透明之柔黄色，与 Ultramarine 混和，得绿色。

（六）Vermilion 不透明之朱色，混黄色用于明之部份。混 Cobalt 与 Ultramarine 之蓝色，用于暗之部份。

（七）Rose madder 玫瑰红色，无论明部或暗部皆可用之。与 Lemon yellow 或 Cadmium Yellow 混合得肤色。

（八）Pink madder 亦美丽之淡红色，绘人体或花卉必用之具。

（九）Light Red 灰红色，与吾国所用之赭石相似，其用甚广，与 Ultramarine 混合，得灰色。

（十）Violet 半透明之肉色，与他色混，能得美丽之色。

（十一）Veronese green 美丽之绿色，绘人体或树木山野。不论明暗部份，皆可用之。

（十二）Hooker green 亦绿色，较前稍深，其用甚广。

（十三）Indigo 不透明之暗蓝色，与黄色混，得绿色。

(十四) Prussian Blue 透明强蓝色，混黄色，得美绿色；又画天空与水面，得清澈之趣。

(十五) Cobalt 半透明之美蓝色，不论明部暗部，皆可用之。混朱或红，得紫色，少加黄色，得温灰色。又画天空或水面，常用之。

(十六) Ultramarine 半透明之青色，阴影部份多用之。混黄色，得种种之绿色。

以上所言，特其大略。至配合之方法，皆在自己实地试验，神而明之，存乎其人。故不赘述。

其绘具箱之价值，最廉者一角八分，笔二支，干制颜色十色附（日本制），然粗劣不适用。最昂者十圆左右（英制或法制），炼制颜色十余色附。

第二节　笔

毛笔　以貂毛为最良，此种笔专为水彩画制，大小有十数种。择购三四种已可敷用。其价值不甚昂，日本制者尤廉。

海绵笔洗画上之颜色用，大小有数种。

铅笔　画草稿用。H 者，硬之记号，B 者，柔之记号。若记号递加者，其硬柔之度亦递加。学者择与自己顺手者用之，不必拘泥。

第三节　纸

第一种　ow 纸此种纸为英国水彩画协会之特制，在日本购。每张四角。

第二种　whatman 纸（译为“画用纸”）此种用者最多，其价亦稍廉。

此外各种纸，皆不适用。不赘述。

第四节　画板

有大小数种，或自制亦佳。惟木料须坚而平，俾不致有凸起之虞。

未画之前，将画纸裁好，铺画板上，用净水拂拭数次。迨纸质湿透，用纸条抹浆糊，贴其四周，待干后再著色彩。

第二章　水彩画之临本

欧美新教授法，初学绘画，即由写生入手，不用临本。然吾国人智识幼稚，以不谙画法者，强其写生，如坠云里雾中有无从著手之势。况水彩著色，最为复杂。倘不先用临本，知其颜料配合之大概，即从事写生，亦有朱墨颠倒之虞。故初学水彩画，当先用临本。迨稍谙门径，然后从事写生，较为便利。

日本水彩画临本，无佳者。以余所见，英国伦敦出版水彩画帖数种尚适用。胪列其名如左下：

Vere Foster's water colour books.

(1) Landscape Painting for Beginners First Stage.（山水）

(2) Landscape Painting for Beginners Second Stage.（山水）

(3) Animal Painting for Beginners.（动物）

(4) Flower Painting for Beginners.（花卉）

(5) Simple Lessons in Flower Painting.（花卉）

(6) Simple Lessons in Marine Painting.（海景）

(7) Simple Lessons in Landscape Painting.（山水）

(8) Studies of Trees.（树木）

(9) Advaneed Studies in Flower Painting.（花卉）

(10) Advanced Studies in Marine Painting.（海景）

以上一至七，皆浅近者；八至十皆稍深者。以上各种，日本东京丸善株式会社有售者。每册价值约在一元以外。

每册有画十数幅。每画一幅，有说明论一篇。虽英文，然甚浅近。不通英文者，不妨略之。

近世欧洲文学之概观

中世古典派文学（Classic）瑰伟卓绝，磅礴大宇，及十八世纪初期，其势力犹不少衰。操觚簪笔家佥据是为典则。其后承法兰西革命影响，而热烈真挚之诗风，乃发展为文艺界一大新思潮，即传奇派（Romantic）是。迨至十九世纪，基于自然之进步，现实观之发达，乃更尚精致之描写，及确实之诗材，而写实主义与自然主义遂现于十九世纪后半期。及夫末叶，反动力之新理想派，乃萌芽于欧洲。

以上其概略。更分述之如下：

第一章 英吉利文学

当十八世纪之末叶，冷索单调之诗文，浸即衰废。研究古诗民谣者日益众，故其文学富于清新之趣。至一七九八年 W. Wordsworth 与 S. T. Coleridge 合著之《抒情诗集》（Lyrical Bollades）乃现于世。两氏唱诗文之革新，为真挚文学之先驱，世称为近世诗学之祖，又谓一七九八年为英吉利文学诞生之年。W. Wordsworth（1770—1850）之作品不炫奇异，然清新高远，热情奔放为其特长。

S. T. Coleridge（1772—1834）学问深邃，思想幽渺，且具锐利之批评眼，其作品以格调之真挚，押韵之自由为世所叹赏。门人友戚受彼之感化者甚众。

其后 Walter Scott（1771—1832）、George Gordon Byron（1788—1824）两大家出。Scott 有戏曲的天才，其文雄健，其诗丰丽为历史小说之祖。Byron 之诗，久传诵于世界大陆，近世文学颇受其感化。氏贫困又苦于家室之累，因于一八二四年去故国，投希腊独立军，遂死其地。

Percy Bysshe Shelley（1792—1822），亦因教权之压抑，避居南欧，为薄命理想之诗人。其作品幽婉高妙，且示神秘之倾向。

承大革命影响之诗风，止于 Shelley。其时又有以卓绝之才识开辟一新诗风者，即 John Keats（1795—1821）是。氏所著之诗，凡古典之精神及绚烂之色彩，两者兼备。故外形内容皆纯洁完美，无毫发憾。

Alfred Tennyson（1809—1892），世称为十九世纪集大成之诗家。其名著 The Princess（1847 年出版）、In Memoriam（1850 年出版）、Idyls of the King（1859 年出版）为世所传诵。

Robert Browning（1812—1889）与 Tennyson 齐名，以笔力之怪郁、涉想之高峻称于世。

此外 Dante Gabriel Rossetti（1828—1882）及 William Morris（1834—1896）共于绘画界受 Pre－Raphaelitism 派之感化。其抒情诗篇，写中古之趣味及敬虔之信念。

Algernan Charles Swinburne（1837—1909），亦属此派，学问深邃，以诗歌之形式美，卓绝于现代之文坛。

本世纪之小说界，Scott 颇负盛名，至 Victoria 时代 Charles Dickens（1812—1870）及 William makepeace Thackeray（1811—1863）两大家出，前者善描写市街之光景及下民之状态；后者善以轻妙之语调描写上流绅士社会之表里，共于小说界放一异彩。

George Eliot（1816—1880）及 Charles Kingslay（1819—1875）亦以思想之高远与语调之雄浑名于时。至最近 Stavanson（1850—1894）以劲健洒脱之文体，作美文小说。Meradith（1828—1909）以高远之思想，精微之观察，雄飞于现代文坛。其他 Charles Lemb（1775—1834）及 De Ouincey（1785—1859），共以独特之散文、随笔负盛名。

至本世纪之中叶，英吉利批评大家有 Carlyle 及 Macaulay，其后 Ruskin-Arnold-Pater-Symonds 等相继兴起，为评论界放灿烂之光彩。

Carlyle（1791—1881），思想雄浑，笔力遒劲，著有《英雄崇拜论》（Her-oworship）传诵一时，彼始于文艺批评，其后渐进于社会批评、文明批评之方面。

Macaulay（1800—1859），其前半生为政界之伟人，作印度帝国之基础；

后半生为批评家，执评坛之牛耳。其大作《英吉利史》为不朽之名著。

Ruskin（1819—1900），世称为十九世纪之预言家，于英吉利为美术评论之先辈，其代表之大作为《近世画家论》（Modern Painters），力持自然主义，为美术界所惊叹。此外，研究艺术之著述有《建筑七灯》（The Seven Lamps Architecture）等，评论正确，文章亦幽丽可诵。

Arnold（1820—1888），思想雄大高峻，且富于雅趣，实在 Ruskin 之上。一八六五年出版之《批评论集》(Essays in Criticism）为其代表之作。

以上所述之 Ruskin 及 Arnold 二氏，为十九世纪中叶以后批评坛之代表。

Pater（1839—1894），精于修辞，其文体足冠近代。著有《文艺复兴史之研究》(Studies in the History of the Renaissance)。关于文学美术，研究精审，颇多创解。

Symonds（1840—1893）与 Pater 同精于文艺复兴期之研究，著有《伊大利文艺复兴论》(The Renaissance in Italy）氏于评论文学美术外，兼及于政治宗教之方面。

十九世纪剧坛名家，以 Pinero（1855—?）、Henry、Arthur Johns (1851—?)、Shaw（1856—?）等最负盛名。

编者按：此文原有多章，因《白阳》只出诞生号一期，故仅刊出《英吉利文学》第一章，余已散失。

西洋乐器种类概说

西洋乐器之分类有种种之方法，兹依最普通之分类法，分为弦乐器、管乐器、击乐器及金制乐器四种。

第一章　弦乐器

弦乐器分为二种：一为用弓之弦乐器，一为弹拨之弦乐器。兹分述之如下：

第一节用弓弦乐器

小四弦提琴 Violin 于弦乐中属于最高音部。其音色幽艳明畅，富于表情，强弱自由，能现音度之微细，为合奏之乐器，又可独奏，常占乐器之王位。其起源言人人殊，然由亚东传来，殆无疑义。然古时之制粗略不适用。至十七世纪之末叶。制法始完备如今日之形状。

附插图：一、小四弦提琴，正面及侧面；二、小四弦提琴用弓；三、小四弦提琴调弦谱（第一、二、三、四、弦附 AEDG 符号）。四、演奏之姿势；五、小四弦提琴之全音域。

大四弦提琴（附图）：大四弦提琴调弦谱，最大四弦提琴调弦谱。中四弦提琴侧面，中四弦提琴调弦谱。

小四弦提琴调弦之法如图式。四弦合之，其音域可达于三个八音半。其奏法以马尾张弓，磨擦弦上。

中四弦提琴 Viola alto 较小，四弦提琴之形稍大，其制法无稍异；但其音各低五度。调弦之法如上图。合奏时常属于中音部。音色稍有幽郁沉痛之感。独奏时有一种男性的热情。

大四弦提琴 Cello 其形与前同，但甚大，奏时当正坐，以两腿挟其下体。调弦法如上图，于合奏时属于低音部，独奏时亦有特别之趣味。

最大四弦提琴 Double Bass 其形较前犹大，高过人顶。合奏时属于最低音部，奏时须直立，调弦如图式。形状太大，故其技巧不如前三者，不能独奏。

以上四种乐器，为弦乐中之主要，其音域至广，如图。

竖琴 Harp 普通者有四十六弦，由踏板可以变易调子。管弦合奏时。用圆底提琴 mandalin，腹面为扁平之半球形，有四弦。调弦法与小四弦提琴同。

六弦提琴 Guitar 形较小四弦提琴稍肥，有六弦。调弦法如图式。

长提琴 Banjo 腹圆颈长，形较前者稍大，有四弦。

以上三种乐器，管弦合奏时，不加入。

附图：四种用弓弦乐器合计之音域，六弦提琴调谱、圆底提琴、六弦提琴、长提琴。

第二章　管乐器

管乐器分木制管乐器及金制管乐器两种。木制者其音色有柔婉温雅之特色，金制者有豪宕流畅之表情，用时虽不如弦乐能传写乐曲之精微，然其音色丰富宏大，为其特色。兹分述之如下：

第一节　木制管乐器

横笛 Flute 于管弦合奏时，常与小四弦提琴共占最高音部之位置。又横笛中又有小横笛 Piccolo 一种，其音更高。横笛之音量不大，然清澄明快，于管乐中罕见其匹。

竖笛 Oboe 与横笛同属于最高音部。又在同类之中，竖笛 English horn 属于中音部。次中竖笛 Bassom 属于次中音部。大竖笛 Fagotto 属于低音部。是种皆有口簧，依其振动发音。其音色皆带忧郁之气，有引人之魔力。

单簧竖笛 Clarinet 与竖笛相似，但口簧仅有一个；又口形之构造亦稍异。此种乐器，可依调之如何而更变。其乐器共有 A 调 B 调 C 调三种，表情丰富，强弱自由，又有低音单簧竖笛 Bass Clarinet 其音较低。

附图：横笛、小横笛、单簧竖笛。

第二节　金制管乐器

高音部喇叭 Trumpet 其音勇壮活泼，但易流于粗野。

小高音部喇叭 Cornet 与前者相似，其音色稍柔。

细管喇叭 Trombne 有中音、次中音、低音三种。音色壮大豪宕，能奏强音。为管乐中第一。

猎角式喇叭 Horn 又名 French horn 为管乐器中最富于表情者。音色有优美可怜之致。

新式喇叭为近世改良者，有最高音、高音、次中音、低音、最低音六种。然管弦合奏时。用者甚稀。至近时用者仅有低音一种。

(本文附图均从略)

李叔同作品精选 · 劫海普度

无尽奇珍供世眼，一轮圆月耀天心。

——赵朴初先生

佛法大意

戊寅年六月十九日在漳州七宝寺讲

我至贵地，可谓奇巧因缘。本拟住半月返厦。因变，住此，得与诸君相晤，甚可喜。

先略说佛法大意。

佛法以大菩提心为主。菩提心者，即是利益众生之心。故信佛法者，须常抱积极之大悲心，发救济一切众生之大愿，努力做利益众生之种种慈善事业。乃不愧为佛教徒之名称。

若专修净土法门者，尤应先发大菩提心。否则他人谓佛法是消极的、厌世的、送死的。若发此心者，自无此误会。

至于做慈善事业，尤要。既为佛教徒，即应努力作利益社会之种种事业。乃能令他人了解佛教是救世的、积极的。不起误会。

或疑经中常言空义，岂不与前说相反。

今案大菩提心，实具有悲智二义。悲者如前所说。智者不执着我相，故曰空也。即是以无我之伟大精神，而做种种之利生事业。

若解此意，而知常人执着我相而利益众生者，其能力薄、范围小、时不久、不彻底。若欲能力强、范围大、时间久、最彻底者，必须学习佛法，了解悲智之义，如是所作利生事业乃能十分圆满也。故知所谓空者，即是于常人所执着之我见，打破消灭，一扫而空。然后以无我之精神，努力切实作种种之事业。亦犹世间行事，先将不良之习惯等一一推翻，然后良好建设乃得实现也。

今能了解佛法之全系统及其真精神所在，则常人谓佛教是迷信是消极者，固可因此而知其不当。即谓佛教为世界一切宗教中最高尚之宗教，或谓佛法为世界一切哲学中最玄妙之哲学者，亦未为尽理。

不仅中国，现今如欧美诸国人，正在热烈地研究及提倡。出版之佛教书籍及杂志等甚多。

故望已为佛教徒者，须彻底研究佛法之真理，而努力实行，俾不愧为佛教徒之名。其未信佛法者，亦宜虚心下气，尽力研究，然后于佛法再加以评论。此为余所希望者。

<table>
<tr><td rowspan="7">因佛法是真能</td><td colspan="2">说明人生宇宙之所以然。</td></tr>
<tr><td rowspan="4">破除世间一切</td><td>谬见，而与以正见。</td></tr>
<tr><td>迷信，而与以正信。</td></tr>
<tr><td>恶行，而与以正行。</td></tr>
<tr><td>幻觉，而与以正觉。</td></tr>
<tr><td colspan="2">包括世间各教各学之长处，而补其不足。</td></tr>
<tr><td colspan="2">广被一切众生之机，而无所遗漏。</td></tr>
</table>

以上略说佛法大意毕。

又当地信士，因今日为菩萨诞，欲请解释南无观世音菩萨之义。兹以时间无多，惟略说之。

南无者，梵语。即归依义。

菩萨者，梵语，为菩提萨埵之省文。菩提者觉，萨埵者众生。因菩萨以智上救佛法，以悲下化众生，故称为菩提萨埵。此以悲智二义解释，与前同也。

观世音者，为此菩萨之名。亦可以悲智二义分释。如《楞严经》云：由我观听十方圆明，故观音名遍十方界。约智言也。如《法华经》云：苦恼众生一心称名，菩萨即时观其音声，皆得解脱，以是名观世音。约悲言也。

佛法宗派大概

戊寅十月七日在晋江安海金墩宗祠讲

关于佛法之种种疑问，前已略加解释。诸君既无所疑惑，思欲著手学习，必须先了解佛法之各种宗派乃可。

原来佛法之目的，是求觉悟本无种种差别。但欲求达到觉悟之目的地以前，必有许多途径。而在此途径上，自不妨有种种宗派之不同也。

佛法在印度古代时，小乘有各种部执，大乘虽亦分“空”“有”二派，但未别立许多门户。吾国自东汉以后，除将印度所传来之佛法精神完全承受外，并加以融化光大，于中华民族文化之伟大悠远基础上，更开展中国佛法之许多特色。至隋唐时，便渐成就大小乘各宗分立之势。今且举十宗而略述之。

一　律宗又名南山宗

唐终南山道宣律师所立。依《法华》、《涅槃》经义，而释通小乘律，立圆宗戒体。正属出家人所学，亦明在家五戒、八戒义。

唐时盛，南宋后衰，今渐兴。

二　俱舍宗

依《俱舍论》而立。分别小乘名相甚精，为小乘之相宗。欲学大乘法相宗者固应先学此论，即学他宗者亦应以此为根柢，不可以其为小乘而轻忽之也。

陈隋唐时盛弘，后衰。

三　成实宗

依《成实论》而立。为小乘之空宗，微似大乘。

六朝时盛，后衰，唐以后殆罕有学者。

以上二宗，即依二部论典而形成，并由印度传至中土。虽号称宗，然实不过二部论典之传持授受而已。

以上二宗属小乘，以下七宗皆是大乘，律宗则介于大小之间。

四　三论宗　又名性宗　又名空宗

三论者，即《中论》、《百论》、《十二门论》，是三部论皆依《般若经》而造。姚秦时，龟兹国鸠摩罗什三藏法师来此土弘传。

唐初犹盛，以后衰。

五　法相宗　又名慈恩宗　又名有宗

此宗所依之经论，为《解深密经》、《瑜伽师地论》等。唐玄奘法师盛弘此宗。又糅合印度十大论师所著之《唯识三十颂之解释》而编纂成《唯识论》十卷，为此宗著名之典籍。此宗最要，无论学何宗者皆应先学此以为根柢也。

唐中叶后衰微，近复兴，学者甚盛。

以上二宗，印度古代有之，即所谓“空”“有”二派也。

六　天台宗　又名法华宗

六朝时此土所立，以《法华经》为正依。至隋智者大师时极盛。其教义，较前二宗为玄妙。

隋唐时盛，至今不衰。

七　华严宗　又名贤首宗

唐初此土所立，以《华严经》为依。至唐贤首国师时而盛，至清凉国师时而大备。此宗最为广博，在一切经法中称为教海。

宋以后衰，今殆罕有学者，至可惜也。

八　禅宗

梁武帝时，由印度达摩尊者传至此土。斯宗虽不立文字，直明实相之理体。而有时却假用文字上之教化方便，以弘教法。如《金刚》、《楞伽》二经，即是此宗常所依用者也。

唐宋时甚盛，今衰。

九　密宗　又名真言宗

唐玄宗时，由印度善无畏三藏金刚智三藏先后传入此土。斯宗以《大日经》、《金刚顶经》、《苏悉地经》三部为正所依。

元后即衰，近年再兴，甚盛。

在大乘各宗中，此宗之教法最为高深，修持最为真切。常人未尝穷研，辄轻肆毁谤，至堪痛叹。余于十数年前，唯阅《密宗仪轨》，亦尝轻致疑议。以后阅《大日经疏》，乃知密宗教义之高深，因痛自忏悔。愿诸君不可先阅《仪轨》，应先习经教，则可无诸疑惑矣。

十　净土宗

始于晋慧远大师，依《无量寿经》、《观无量寿佛经》、《阿弥陀经》而立。三根普被，甚为简易，极契末法时机。明季时，此宗大盛。至于近世，尤为兴盛，超出各宗之上。

以上略说十宗大概已竟。大半是摘取近人之说以叙述之。

就此十宗中，有小乘、大乘之别。而大乘之中，复有种种不同。吾人于此，万不可固执成见，而妄生分别。因佛法本来平等无二，无有可说，即佛法之名称亦不可得。于不可得之中而建立种种差别佛法者，乃是随顺世间众生以方便建立。因众生习染有浅深，觉悟有先后。而佛法亦依之有种种差别，以适应之。譬如世间患病者，其病症千差万别，须有多种药品以适应之，其价值亦低昂不等。不得仅尊其贵价者，而废其他廉价者。所谓药无贵贱，愈病者良。佛法亦尔，无论大小权实渐顿显密，能契机者，即是无上妙法也。故法门虽多，吾人宜各择其与自己根机相契合者而研习之，斯为善矣。

佛法十疑略释

戊寅十月六日在晋江安海金墩宗祠讲

欲挽救今日之世道人心，人皆知推崇佛法。但对于佛法而起之疑问，亦复不少。故学习佛法者，必先解释此种疑问，然后乃能著手学习。

以下所举十疑及解释，大半采取近人之说而叙述之，非是讲者之创论。所疑固不限此，今且举此十端耳。

一 佛法非迷信

近来知识分子，多批评佛法谓之迷信。

我辈详观各地寺庙，确有特别之习惯及通俗之仪式，又将神仙鬼怪等混入佛法之内，谓是佛法正宗。既有如此奇异之现象，也难怪他人谓佛法是迷信。

但佛法本来面目则不如此，决无崇拜神仙鬼怪等事。其仪式庄严，规矩整齐，实超出他种宗教之上。又佛法能破除世间一切迷信而与以正信，岂有佛法即是迷信之理。

故知他人谓佛法为迷信者，实由误会。倘能详察，自不至有此批评。

二 佛法非宗教

或有人疑佛法为一种宗教。此说不然。

佛法与宗教不同，近人著作中常言之，兹不详述。应知佛法实不在宗教范围之内也。

三 佛法非哲学

或有人疑佛法为一种哲学。此说不然。

哲学之要求，在求真理，以其理智所推测而得之某种条件即谓为真理。其结果，有一元、二元、唯心唯物种种之说。甲以为理在此，乙以为理在彼，纷纭扰攘，相非相谤。但彼等无论如何尽力推测，总不出于错觉一途。譬如盲人摸象，其生平未曾见象之形状，因其所摸得象之一部分，即谓是为象之全体。故或摸其尾便谓象如绳，或摸象其背便谓象如床，或摸其胸便谓象如地。虽因所摸处不同而感觉互异，总而言之，皆是迷惑颠倒之见而已。

若佛法则不然。譬如明眼人能亲见全象，十分清楚，与前所谓盲人摸象者迥然不同。因佛法须亲证“真如”，了无所疑，决不同哲学家之虚妄测度也。

何谓“真如”之意义？真真实实，平等一如，无妄情，无偏执，离于意想分别，即是哲学家所欲了知之宇宙万有之真象及本体也。夫哲学家欲发明宇宙万有之真相及本体，其志诚为可嘉。但太无方法，致罔废心力而终不能达到耳。

以上所说之佛法非宗教及哲学，仅略举其大概。若欲详知者，有南京支那内学院出版之《佛法非宗教非哲学》一卷，可自详研，即能洞明其奥义也。

四　佛法非违背于科学

常人以为佛法重玄想，科学重实验，遂谓佛法违背于科学。此说不然。

近代科学家持实验主义者，有两种意义。

一是根据眼前之经验，彼如何即还彼如何，毫不加以玄想。

二是防经验不足恃，即用人力改进，以补通常经验之不足。

佛家之态度亦尔，彼之“戒”“定”“慧”三无漏学，皆是改进通常之经验。但科学之改进经验重在客观之物件，佛法之改进经验重在主观之心识。如人患目病，不良于视，科学只知多方移置其物以求一辨，佛法则努力医治其眼以求复明。两者虽同为实验，但在治标治本上有不同耳。

关于佛法与科学之比较，若欲详知者，乞阅上海开明书店代售之《佛法与科学之比较研究》。著者王小徐，曾留学英国，在理工专科上迭有发现，为世界学者所推重。近以其研究理工之方法，创立新理论解释佛学，因著此书也。

五　佛法非厌世

常人见学佛法者，多居住山林之中，与世人罕有往来，遂疑佛法为消极的、厌世的。此说不然。

学佛法者，固不应迷恋尘世以贪求荣华富贵，但亦决非是冷淡之厌世者。因学佛法之人皆须发“大菩提心”，以一般人之苦乐为苦乐，抱热心救世之弘愿。不唯非消极，乃是积极中之积极者。虽居住山林中，亦非贪享山林之清福，乃是勤修“戒”“定”“慧”三学以预备将来出山救世之资具耳。与世俗青年学子在学校读书为将来任事之准备者，甚相似。

由是可知谓佛法为消极厌世者，实属误会。

六　佛法非不宜于国家之兴盛

近来爱国之青年，信仰佛法者少。彼等谓佛法传自印度，而印度因此衰亡，遂疑佛法与爱国之行动相妨碍。此说不然。

佛法实能辅助国家，令其兴盛，未尝与爱国之行动相妨碍。印度古代有最信仰佛法之国王，如阿育王、戒日王等，以信佛故，而统一兴盛其国家。其后婆罗门等旧教复兴，佛法渐无势力，而印度国家乃随之衰亡，其明证也。

七　佛法非能灭种

常人见僧尼不婚不嫁，遂疑人人皆信佛法必致灭种。此说不然。

信佛法而出家者，乃为僧尼，此实极少之数。以外大多数之在家信佛法者，仍可婚嫁如常。佛法中之僧尼，与他教之牧师相似，非是信徒皆应为牧师也。

八　佛法非废弃慈善事业

常人见僧尼唯知弘扬佛法，而于建立大规模之学校、医院、善堂等利益社会之事未能努力，遂疑学佛法者废弃慈善事业。此说不然。

依佛经所载，布施有二种，一曰财施，二曰法施。出家之佛徒，以法施为主，故应多致力于弘扬佛法，而以余力提倡他种慈善事业。若在家之佛徒，则财施与法施并重，故在家居士多努力作种种慈善事业，近年以来各地所发起建立之佛教学校、慈儿院、医院、善堂、修桥、造凉亭乃至施米、施衣、施钱、施棺等事，皆时有所闻，但不如他教仗外国慈善家之财力所经营者规模阔大耳。

九　佛法非是分利

近今经济学者，谓人人能生利，则人类生活发达，乃可共享幸福。因专注重于生利。遂疑信仰佛法者，唯是分利而不生利，殊有害于人类，此说亦不免误会。

若在家人信仰佛法者，不碍于职业，士农工商皆可为之。此理易明，可毋庸议。若出家之僧尼，常人观之，似为极端分利而不生利之寄生虫。但僧尼亦何尝无事业，僧尼之事业即是弘法利生。倘能教化世人，增上道德，其间接直接有真实大利益于人群者正无量矣。

十　佛法非说空以灭人世

常人因佛经中说“五蕴皆空”“无常苦空”等，因疑佛法只一味说空。若信佛法者多，将来人世必因之而消灭。此说不然。

大乘佛法，皆说空及不空两方面。虽有专说空时，其实亦含有不空之义。故须兼说空与不空两方面，其义乃为完足。

何谓空及不空。空者是无我，不空者是救世之事业。虽知无我，而能努力作救世之事业，故空而不空。虽努力作救世之事业，而决不执著名有我，故不空而空。如是真实了解，乃能以无我之伟大精神，而作种种之事业无有障碍也。

又若能解此义，即知常人执著我相而作种种救世事业者，其能力薄，范围小，时间促，不彻底。若欲能力强，范围大，时间久，最彻底者，必须于佛法之空义十分了解，如是所作救世事业乃能圆满成就也。

故知所谓空者，即是于常人所执著之我见打破消灭，一扫而空，然后以无我之精神，努力切实作种种之事业。亦犹世间行事，先将不良之习惯等一一推翻，然后良好之建设乃得实现。

信能如此，若云牺牲必定真能牺牲；若云救世，必定真能救世。由是坚坚实实，勇猛精进而作去，乃可谓伟大，乃可谓彻底。

所以真正之佛法，先须向空上立脚，而再向不空上作去。岂是一味说空而消灭人世耶！

以上所说之十疑及释义，多是采取近人之说而叙述其大意。诸君闻此，应可免除种种之误会。

若佛法中之真义，至为繁广，今未能详说。惟冀诸君从此以后，发心研究佛法，请购佛书，随时阅览，久之自可洞明其义。是为余所厚望焉。

佛法学习初步

戊寅十月八日在晋江安海金墩宗祠讲

佛法宗派大概，前已略说。

或谓高深教义，难解难行，非利根上智不能承受。若我辈常人欲学习佛法者，未知有何法门，能使人人易解，人人易行，毫无困难，速获实益耶？

案佛法宽广，有浅有深。故古代诸师，皆判“教相”以区别之。依唐圭峰禅师所撰《华严原人论》中，判立五教：

> **一、人天教；二、小乘教；三、大乘法相教；四、大乘破相教；五、一乘显性教。**

以此五教，分别浅深。若我辈常人易解易行者，唯有“人天教”也。其他四教，义理高深，甚难了解。即能了解，亦难实行。故欲普及社会，又可补助世法，以挽救世道人心，应以“人天教”最为合宜也。

人天教由何而立耶？

常人醉生梦死，谓富贵贫贱吉凶祸福皆由命定，不解因果报应。或有解因果报应者，亦唯知今生之现报而已。若如是者，现生有恶人富而善人贫，恶人寿而善人夭，恶人多子孙而善人绝嗣，是何故欤？因是佛为此辈人，说三世业报，善恶因果，即是人天教也。今就三世业报及善恶因果分为二章详述之。

一　三世业报

三世业报者，现报、生报、后报也。

（一）现报：今生作善恶，今生受报。

（二）生报：今生作善恶，次一生受报。

（三）后报：今生作善恶，次二三生乃至未来多生受报。

由是而观，则恶人富、善人贫等，决不足怪。吾人唯应力行善业，即使今生不获良好之果报，来生再来生等必能得之。万勿因行善而反遇逆境，遂妄谓行善无有果报也。

二　善恶因果

善恶因果者，恶业、善业、不动业此三者是其因，果报有六，即六道也。恶业善业，其数甚多，约而言之，各有十种，如下所述。不动业者，即修习上品十善，复能深修禅定也。今以三因六果列表如下：

<table>
<tr><td rowspan="3">一、恶业</td><td>上品：……地狱</td><td rowspan="8">六道</td></tr>
<tr><td>中品：……畜生</td></tr>
<tr><td>下品：……鬼</td></tr>
<tr><td rowspan="3">二、善业</td><td>下品：……阿修罗</td></tr>
<tr><td>上品：……人</td></tr>
<tr><td>上品：……欲界天</td></tr>
<tr><td rowspan="2">三、不动业</td><td>次品：……色界天</td></tr>
<tr><td>上品：……无色界天</td></tr>
</table>

今复举恶业、善业别述如下：

恶业有十种。

一、杀生；二、偷盗；三、邪淫；四、妄言；五、两舌；六、恶口；七、绮语；八、悭贪；九、瞋恚；十、邪见。

造恶业者，因其造业重轻，而堕地狱、畜生、鬼道之中。受报既尽，幸生人中，犹有余报。今依《华严经》所载者，录之如下。若诸“论”中，尚列外境多种，今不别录。

一、杀生……短命、多病

二、偷盗……贫穷、其财不得自在

三、邪淫……妻不贞良、不得随意眷属

四、妄言……多被诽谤、为他所诳

五、两舌……眷属乖离、亲族弊恶

六、恶口……常闻恶声、言多诤讼

七、绮语……言无人受、语不明了

八、悭贪……心不知足、多欲无厌

九、瞋恚……常被他人求其长短、恒被于他之所恼害

十、邪见……生邪见家、其心谄曲

善业有十种。下列不杀生等，止恶即名为善。复依此而起十种行善，即救护生命等也。

一、不杀生：救护生命

二、不偷盗：给施资财

三、不邪淫：遵修梵行

四、不妄言：说诚实言

五、不两舌：和合彼此

六、不恶口：善言安慰

七、不绮语：作利益语

八、不悭贪：常怀舍心

九、不瞋恚：恒生慈愍

十、不邪见：正信因果

造善业者，因其造业轻重而生于阿修罗人道欲界天中。所感之余报，与上所列恶业之余报相反。如不杀生则长寿无病等类推可知。

由是观之，吾人欲得诸事顺遂，身心安乐之果报者，应先力修善业，以种善因。若唯一心求好果报，而决不肯种少许善因，是为大误。譬如农夫，欲得米谷，而不种田，人皆知其为愚也。

故吾人欲诸事顺遂，身心安乐者，须努力培植善因。将来或迟或早，必得良好之果报。古人云："祸福无不自己求之者"，即是此意也。

佛教之简易修持法

己卯四月十六日在永春桃源殿讲　李芳远记

我到永春的因缘，最初发起，在三年之前。性愿老法师常常劝我到此地来，又常提起普济寺是如何如何的好。

两年以前的春天，我在南普陀讲律圆满以后，妙慧师便到厦门请我到此地来。那时因为学律的人要随行的太多，而普济寺中设备未广，不能够收容，不得已而中止。是为第一次欲来未果。

是年的冬天，有位善兴师，他持著永春诸善友一张请帖，到厦门万石岩去，要接我来永春。那时因为已先应了泉州草庵之请，故不能来永春。是为第二次欲来未果。

去年的冬天，妙慧师再到草庵来接。本想随请前来，不意过泉州时，又承诸善友挽留，不得已而延期至今春。是为第三次欲来未果。

直至今年半个月以前，妙慧师又到泉州劝请，是为第四次。因大众既然有如此的盛意，故不得不来。其时在泉州各地讲经，很是忙碌，因此又延搁了半个多月。今得来到贵处，和诸位善友相见，我心中非常的欢喜。自三年前就想到此地来，屡次受了事情所阻，现在得来，满其多年的夙愿，更可说是十分的欢喜了。

今天承诸位善友请我演讲。我以为谈玄说妙，虽然极为高尚，但于现在行持终觉了不相涉。所以今天我所讲的，且就常人现在即能实行的，约略说之。

因为专尚谈玄说妙，譬如那饥饿的人，来研究食谱，虽山珍海味之名，纵横满纸，如何能够充饥。倒不如现在得到几种普遍的食品，即可入口。得充一饱，才于实事有济。

以下所讲的，分为三段。

一、深信因果

因果之法，虽为佛法入门的初步，但是非常的重要，无论何人皆须深信。何谓因果，因者好比种子，下在田中，将来可以长成为果实。果者譬如果实，自种子发芽，渐渐地开花结果。

我们一生所作所为，有善有恶，将来报应不出下列：

桃李种长　成为桃李——作善报善

荆棘种长　成为荆棘——作恶报恶

所以我们要避凶得吉，消灾得福，必须要厚植善因，努力改过迁善，将来才能够获得吉祥福德之好果。如果常作恶因，而要想免除凶祸灾难，那里能够得到呢？

所以第一要劝大众深信因果，了知善恶报应，一丝一毫也不会差的。

二、发菩提心

“菩提”二字是印度的梵语翻译为“觉”，也就是成佛的意思。发者，是发起，故发菩提心者，便是发起成佛的心。为什么要成佛呢？为利益一切众生。须如何修持乃能成佛呢？须广修一切善行。以上所说的，要广修一切善行，利益一切众生，但须如何才能够彻底呢？须不著我相。所以发菩提心的人，应发以下之三种心：

（一）大智心　不著我相此心虽非凡所能发，亦应随分观察。

（二）大愿心　广修善行

（三）大悲心　救众生苦

又发菩提心者，须发以下所记之四弘誓愿：

（一）众生无边誓愿度　菩提心以大悲为体，所以先说度生。

（二）烦恼无尽誓愿断　愿一切众生，皆能断无尽之烦恼。

（三）法门无量誓愿学　愿一切众生，皆能学无量之法门。

（四）佛道无上誓愿成　愿一切众生，皆能成无上之佛道。

或疑烦恼以下之三愿，皆为我而发，如何说是愿一切众生？这里有两种解释：一就浅来说，我也就是众生中的一人，现在所说的众生，我也在其内。再进一步言，真发菩提心的，必须彻悟法性平等，决不是我与众生有什么差别，如是才能够真实和菩提心相应。所以现在发愿，说愿一切众生，有何妨耶！

三、专修净土

既然已经发了菩提心，就应该努力地修持。但是佛所说的法门很多，深浅难易，种种不同。若修持的法门与根器不相契合的，用力多而收效少。倘与根器相契合的，用力少而收效多。在这末法之时，大多数众生的根器，和那一种法门最相契合呢？说起来只有净土宗。因为泛泛修其他法门的，在这五浊恶世，无佛应现之时，很是困难。若果专修净土法门，则依佛大慈大悲之力，往生极乐世界，见佛闻法，速证菩提，比较容易得多。所以龙树菩萨曾说，前为难行道，后为易行道，前如陆路步行，后如水道乘船。

关于净土法门的书籍，可以首先阅览者，《初机净业指南》、《印光法师嘉言录》、《印光法师文钞》等。依此就可略知净土法门的门径。

近几个月以来，我在泉州各地方讲经，身体和精神都非常的疲劳。这次到贵处来，匆促演讲，不及预备，所以本说的未能详尽。希望大众原谅。

律学要略[①②]

我出家以来，在江浙一带，并不敢随便讲经或讲律，更不敢赴什么传戒的道场。其缘故是：因个人感觉着学力不足。

三年来，在闽南虽曾讲过些东西，自心总觉非常惭愧的。这次本寺诸位长老[③]，再三地唤我来参加戒期胜会[④]，情不可却，故今天来与诸位谈谈，但因时间匆促，未能预备，参考书又缺少，兼以个人精神衰弱，拟在此共讲三天。

一

今天先专为求援比丘戒者讲些律宗历史，他人旁听虽不能解，亦是种植善根之事。

为比丘者，应先了知戒律传入此土之因缘，及此土古今律宗盛衰之大概。由东汉至曹魏之初，僧人无归戒之举，唯剃发而已。魏嘉平年中，天竺僧人法时到中土，乃立羯磨受法，是为戒律之始。当是时，可算是真实传授比丘戒的开始。渐渐达至繁盛时期。

大部之广律，最初传来的是《十诵律》。翻译斯部律者，系姚秦时的鸠摩罗什法师，庐山净宗初祖远公法师亦竭力劝请赞扬。六朝时此律最盛于南方。

其次翻译的是《四分律》，时期和《十诵律》相去不远，但迟至隋朝乃有人弘扬提倡，至唐初乃大盛。

第三部是《僧祇律》，东晋时翻译的，六朝时北方稍有弘扬者。

刘宋时继《僧祇律》后有《五分律》，翻译斯律之人，即是译六十卷《华严经》者。文精而简，道宣律师甚赞，可惜罕有人弘扬。

至其后有《有部律》，乃唐代武则天时义净法师的译著。即是西藏一带最通行的律。 当初义净法师在印度有二十余年的历史，博学强记，贯通律学精

---

① 本文系弘一大师一九三五年十二月在泉州承天寺律仪会所做的讲演，由万泉记录。

② 律学：即专门研究佛教对出家之僧尼所制定的各种戒律的学问。

③ 本寺诸位长老：指泉州承天寺之性愿、转法等上人。

④ 本寺诸位长老：指泉州承天寺之性愿、转法等上人。

微，非印度之其他僧人所能及，实空前绝后的中国大律师。义净回国，翻译终毕，他年亦老了，不久即圆寂。以后无有人弘扬，可惜可惜。此外诸部律论甚多，不遑枚举。

关于《有部律》，我个人起初见之甚喜，研究多年。以后因朋友劝告，即改《南山律》。其原因是：《南山律》依《四分律》而成，又稍有变化，能适合我国僧众之根器。故现在我即专就《四分律》之历史，大略说些。

唐代是《四分律》最盛时期，以前所弘扬的是《十诵律》，《四分律》少人弘扬。至唐初《四分律》学者乃盛，共有三大派：

一、相部律依法砺律师为主；

二、南山律以道宣律师为主；

三、东塔律依怀素律师为主。

法砺律师在道宣律师之前，道宣曾就学于他。怀素律师在道宣之后，亦曾亲近法砺、道宣二律师。斯律虽有三大派之分，最盛行于世的可算《南山律》了。南山律师著作浩如渊海，其中《行事钞》最负盛名。是时任何宗派之学者皆须研《行事钞》。自唐至宋，解者六十余家，唯灵芝元照律师最胜。元照律师尚有许多其他经律的注释。元照后，律学渐渐趋于消沉，罕有人发心弘扬。

南宋后，禅宗益盛，律宗更无人过问，所有唐宋诸家的律学撰述数千卷悉皆散失。迨至清初，惟存南山《随机羯磨》一卷。如是观之，大足令人兴叹不已。明末清初，有蕅益、见月。诸大师等欲重兴律宗，但最可憾者，是唐宋古书不得见。当时蕅益大师著述有《毗尼事义集要》，初讲时人数已不多，以后更少，结果成绩颓然。见月律师弘律颇有成绩，撰述甚多，有解《随机羯磨》者，毗尼作持，与南山颇有不同之处——因不得见南山著作故。此外尚有最负盛名的《传戒正范》一部。从明末至今，传戒之书，独此一部。传戒尚存之一线曙光惟赖此书。虽与南山之作未能尽合，然其功甚大，不可忽视！但近代受戒仪轨又依此稍有增减，亦不是见月律师《传戒正范》之本来面目了。

南宋至清七百余年，关于唐宋诸家律学撰述可谓无存。清光绪末年，乃自日本请还唐宋诸家律书之一部分。近十余年间，在天津已刊者数百卷。此外《续藏经》中所收尚未另刊者，犹有数百卷。

今后倘有人发心专力研习弘扬，可以恢复唐代之古风。凡蕅益、见月等所欲求见者，今悉俱在。我们生此时代，实比蕅益、见月诸大师幸福多多！

但学律非是容易的事情。我虽然学律近二十年，仅可谓为学律之预备，窥见了少许之门径？再预备数年，乃可著手研究。以后至少须研究二十年，乃可稍有成绩。奈我现在老了，恐不能久住世间，很盼望你们能发心专学戒律，继我所未竟之志，则至善矣！

我们应知道，现在所流通之《传戒正范》非是完美之书，何况更随便增减。所以今后必须恢复古法乃可。此皆你们的责任，我甚希望大家共同勉励进行。

二

今天续讲三皈、五戒乃至菩萨戒之要略。

三皈、五戒、八戒、沙弥沙弥尼戒、式叉摩那戒、比丘比丘尼戒、菩萨戒等，就普通说，菩萨戒为大乘，余皆小乘。但亦未必尽然，应依受者发心如何而定。我近来研究《南山律》，内中有云："无论受何戒法，皆要先发大乘心。"

由此看来，那有一种戒法专名为小乘的呢？再就受戒方法论，如三皈、五戒、沙弥沙弥尼戒，皆用三皈依受；至于比丘比丘尼戒、菩萨戒，则须依羯磨文受；又如式叉摩那，则是作羯磨与学戒法，不是另外得戒与上不同。再依在家出家分之，就普通说，在家如三皈、五戒、八戒等，出家如沙弥、比丘等。实而言之，三皈、五戒、八戒，皆通在家出家。

诸位听着这话，或当怀疑，今我以例证之。如明代灵峰蕅益大师，他初亦受比丘戒，后但退作三皈人。如是言之，只有三皈，亦可算出家人。

又若单五戒，亦可算出家人。因剃发以后，必先受五戒，后再受沙弥戒。未受沙弥戒前，只是五戒之出家人。故五戒通于在家出家，有在家优婆塞出家优婆塞之别。例如明代蕅益大师之大弟子成时、性旦二师，皆自称为出家优婆塞。成时大师为编辑《净土十要》及《灵峰宗论》者，性旦大师为记录《弥陀要解》者，皆是明末的高僧。

八戒何为亦通在家出家？《药师经》中说：比丘亦可受八戒。比丘再受八戒，为欲增上功德故。这样看起来，八戒亦能于僧俗。

以上略判竟。以下一一分别说之。

三皈：不属于戒，仅名三皈。三皈者——皈依佛、皈依法、皈依僧。未受以前，必须了解三皈道理，并非糊里糊涂地盲从瞎说。如这样子皆不得三皈。

所谓三宝，有四种之别：

（一）理体三宝；

（二）化相三宝；

（三）住持三宝；

（四）一体三宝。

尽讲起来很深奥复杂，现在且专就住持三宝来说。三宝意义是什么？佛，法，僧。

所谓佛——即形象。如释迦佛像、药师佛像、弥陀佛像等。

法——即佛所说之经，如《法华经》、《楞严经》等，皆佛金口所流露出来之法。

僧——即出家剃发受戒有威仪之人。

以上所说佛、法、僧道理，可谓最浅近。诸位谅皆能明了吧。

皈依——即回转的意义。因前背舍三宝，而今转向三宝，故谓之皈依。但无论出家在家之人，若受三皈时，最重要点有二：第一要注意皈依三宝是何意义？第二当受三皈时师父所说应当十分明白。或师父所讲的话全是文言不能了解，如是决不能得三皈；或隔离太远听不明白，亦不得三皈。

又正授之时，即是“皈依佛、皈依法、皈依僧”三说。此最要紧，应十分注意！以后之“皈依佛竟，皈依法竟，皈依僧竟”，是名三结，无关紧要。所以诸位发心受戒，应先了知“三皈”意义。又当正授时，要在先“皈依佛”等三语注意，乃可得三皈。

以上三皈说已。下说五戒。

五戒：就五戒言，亦要请师先为说明。五戒者——杀，盗，淫，妄，酒。当师父说明五戒意义时，切要用白话，浅近明了。使人易懂。受戒者听毕，应先自思量：如是诸戒能持否？若不能全持，或一或二或三或四，皆可随意。宁可不受，万不可受而不持！

且就杀生而论。未受戒者，犯之本应有罪；若已受不杀戒者犯之，则罪更加重一倍。可怕不可怕呢?！你们试想一想，如果不能受持，勉强敷衍，实是自寻烦恼。据我思之，五戒中最容易持的是不邪淫、不饮酒，诸位可先受这两条最为稳当。至于杀与妄语，有大小之分，大者虽不易犯，小者实为难持。又五戒中最为难持的莫如盗戒，非于盗戒戒相研究十分明了之后，万不可率尔而受。所以我盼望诸位，对于盗戒一条，缓缓再说。至要！至要！但以现在传戒情形看起来，在这许多人众集合场中，实际上是不能如上一一别受。我想现在受五戒时，不妨合众总受五戒，俟受戒后，再自己斟酌取舍，亦未为不可。于自己所不能奉持的数条，可以在行礼师前或俗人前舍去。这样办法实在十分妥当，在授者减麻烦，诸位亦可免除烦恼。

另外还有一句要紧的话。倘有人怀疑于此大众混杂扰乱之时，心中不能专一注想，或恐犹未得戒者，不妨请性愿老法师或其他善知识，再为重授一次。他们当即慈悲允许。

诸位：你们万不可轻视三皈五戒！

我有句老实话对诸位说：菩萨戒不是容易得的，沙弥戒及比丘戒是不能得的。无论出家或在家人所希望者，唯有三皈五戒。我们倘能得三皈五戒，那就是很好的了。因受持五戒，来生定可为人。既能持五戒，再说念阿弥陀佛名号求生西方，临终时，定能往生西方极乐世界，岂不甚好。

就我自己而论，对于菩萨戒是有名无实。沙弥戒及比丘戒决定未得。即以五戒而言，亦不敢说完全，止可谓为出家多分优婆塞而已——这是实话。所以我盼望诸位要注意三皈五戒。

当受五戒应知：于前说三皈正得戒体最宜注意；后说五戒戒相为附属之文，不是在此时得戒。又须请师先为说明五戒之广狭：例如饮酒一戒，不唯不饮泉州酒店之酒，凡尽法界虚空界之戒缘境酒，皆不可饮。杀、盗、淫、妄，亦复如是。所以受戒功德普遍法界，实非人力所能思议。

宝华山见月律师所编《三皈五戒正范》，所有开示，多用骈体文。闻者万不能了解，等于虚文而已，最好请师译成白话。此外我更附带言之。近有为人授五戒者，于不饮酒后加不吸烟一句。但这不吸烟可不必加入，应另外劝告，不应加入五戒文中。

三

以上说五戒毕，以下讲八戒。

八戒：具云“八关斋戒”。“关”者——禁闭非逸，关闭所有一切非善事。“斋”——是清的意思，绝诸一切杂想事。八关斋戒本有九条，因其中第七条包含两条，故合计为八条。前五与五戒同，后三条是另加的。后加三者即：

第六，华香璎珞香油涂身。这是印度美丽装饰之风俗，我国只有花香并无璎珞等？但所谓香，如我国香粉、香水、香牙粉、香牙膏及香皂等，皆不可用。

第七，高胜床上坐，作倡伎乐故往观听。这就是两条合为一条的。现略为分析：“高”——是依佛制度坐卧之床脚，最高不能超过一尺六寸；“胜”——是指金银牙角等之装饰，此皆不可。但在他处不得已的时候，暂坐可开。佛制是专为自制的，须结正罪；如别人已做成功的，不是自制的，罪稍轻。作倡伎乐故往观听——音乐、影戏等皆属此条。所谓故往观听之“故”字，要注意，于无意中偶然听到或看见的不犯。以上“高胜床上坐，作倡伎乐故往观听”共合为一条，受“八关斋戒”的人皆不可为。

第八，非时食。佛制受八关斋戒后，自黎明至正午可食，非时食——即平常所说的“过午不食”。正午后，不单是饭等不可食，如牛奶水果等均不可用。如病重者，于不得已中，可在大家看不到的地方开食粥等。

受“八关斋戒”，普通于六斋日受。六斋日者，即初八、十四、十五、廿三，及月底最后二日。倘能发心日日受，那是最好不过了。受时要在每天晨起时，期限以一日一夜——天亮时至夜，夜至明早。受“八关斋戒”后，过午不食一条，应从今天正午后至明日黎明，时皆不可食。

又八戒与菩萨戒比较别的戒有区别，因为八戒与菩萨戒是顿立之戒（但上说的菩萨戒，是局就《梵网》、《璎珞》等而说的；若依瑜伽戒本，则属于渐次之戒）。这是什么缘故呢？未受五戒、沙弥戒、比丘戒，皆可即受菩萨戒或八戒，故曰顿立。若渐次之戒，必依次第。如先五戒，次沙弥戒，次比丘戒，层层上去的。

以上所说“八关斋戒”，外江居士受的非常之多。我想闽南一带将来亦应当提倡提倡。若嫌每月六日太多，可减至一日或两日，亦无不可。因仅受一日，即有极大功德，何况六日全受呢！

沙弥戒：沙弥戒诸位已知道了吧？此乃正戒共十条。其中九条同八戒，另加手不捉钱宝一条，合而为十。但手不捉钱宝一条，平常人不明白，听了皆怕。不知此不捉钱宝是易持之戒。律中有方便办法叫做“说净”，经过说净的仪式后，亦可照常自己捉持。最为繁难者，是正戒十条外，于比丘戒亦应学习，犯者结罪。我初出家时不晓得，后来学律才知道。这样看起来持沙弥尼戒亦是不容易的一回事。

沙弥尼戒：即女众法戒，与沙弥同。

式叉摩那戒：梵语“式叉摩那”，此云“学法女”。外江各丛林皆谓在家贞女为“式叉摩那”，这是错误的。闽南这边那年开元寺传戒时，对于贞女不称“式叉摩那”，只用贞女之名——这是很通。平常人多不解何者为式叉摩那，我现在略为解释一下。

那一种人可以受式叉摩那戒呢?

要已受沙弥尼戒的人，于十八岁时受式叉摩那法，学习二年，然后再受比丘尼戒。因为佛制二十岁乃可受戒。于十八岁时，再学二年，正当二十岁。于二年学习时，僧作羯磨与学戒法。二年学毕，乃可受比丘尼戒。但式叉摩那要学三法:

一学根本法——即四重戒。

二学六法——染心相触；盗减五钱；断畜命；小妄语；非时食；饮酒。

三学行法——大尼诸戒及威仪。

此仅是受学戒法，非另外得戒，故与他戒不同。以下讲比丘戒。

比丘戒——因时间很短，现在不能详细说明。唯有几句要紧话先略说之。

我们生此末法时代，沙弥戒与比丘戒皆是不可得的，原因甚多甚多，今且举出一种来说。就是没有能授沙弥戒比丘戒的人，若受沙弥戒，须二比丘授。比丘戒至少要五比丘授。倘若找不到比丘的话，不单比丘戒受不成，沙弥戒亦受不成。

我有一句很伤心的话要对诸位讲：从南宋迄今六七百年来，或可谓僧种断绝了!

以平常人眼光看起来，以为中国僧众很多，大有达至几百万之概。据实而论，这几百万中要找出一个真比丘，怕也是不容易的事，如此怎样能受沙弥比丘戒呢?

既没有能授戒的人，如何会得戒呢?

我想诸位听到这话，心中一定十分扫兴。或以为既不得戒，我们白吃辛苦，不如早些回去好，何必在此辛辛苦苦，做这种极无意味的事情呢?但如此怀疑是大不对的。

我劝诸位应好好地镇静地在此受沙弥戒比丘戒才是，虽不得戒，亦能种植善根，兼学种种威仪，岂不是好?又若想将来学律，必先挂名受沙弥比丘戒；否则以白衣学律必受他人讥评。所以你们在这儿发心受沙弥比丘戒，是很好的!

四

这次本寺诸位长老，唤我来讲《律学大意》，我感到有种种困难之点。这是什么缘故？比方我在这儿，不依据佛所说的道理讲，一味地随顺他人，顾惜情面敷衍了事，岂不是我害了你们吗？若依实在的话与你们讲，又恐怕因此引起你们的怀疑，所以我觉着十分困难。因此不得已，对于诸位分作两种说法：

（一）老实不客气地必须要说明受戒真相。恐怕诸位出戒堂后，妄自称为沙弥或比丘，致招重罪，那是不得了的事情。我有种比方：譬如泉州这地方有司令官等，不识相的老百姓亦自称“我是司令官”，如司令官等听到，定遭不良结果，说不定有枪毙之危险。未得沙弥比丘戒者，妄自称为沙弥或比丘，必定遭恶报，亦就是这个道理。我为着良心的驱使，所以要对诸位说老实话。

（二）以现在人情习惯看起来，我总劝诸位受戒挂个空名，受后俾可学律。不然定招他人诽谤之虞。这样的说诸位定必明了吧！

更进一层说，诸位中若有人真欲绍隆僧种，必须求得沙弥比丘戒者，亦有一种特别的方法：即是如蕅益大师礼《占察忏仪》，求得清净轮相，即可得沙弥比丘戒。除此以外，无有办法。故蕅益大师云：“末世欲得净戒，舍此《占察》轮相之法，更无别途。”因为得清净轮相之后，即可自誓愿受菩萨戒，而沙弥比丘戒皆包括在内，以后即可称为菩萨比丘。礼《占察》忏得清净轮相，虽是极不容易的事。倘诸位中有真发大心者，亦可奋力进行。这是我最希望你们的。以下说比丘尼戒：

比丘尼戒：现在不能详说。依据佛制，比丘尼戒要重复受两次：先依尼僧授本法，后请大僧正受。但正得戒时，是在大僧正授时。此法南宋以后已不能实行了。

最后说菩萨戒。

菩萨戒：为着时间关系亦不能详说。现在略举三事：

（一）要有菩萨种性，又能发菩提心，然后可受菩萨戒。什么是种性呢？

就简单来说，就是多生以来所成就的资格。所以当受戒时戒师问："汝是菩萨否？"应答曰："我是菩萨。"这就是菩萨种性。戒师又问："既是菩萨，已发菩提心否？"应答曰："已发菩提心。"这就是发菩提心，如这样子才能受菩萨戒。

（二）平常人受菩萨戒者皆是全受。但依《璎珞本业经》，可以随身分受，或一或多，与前说的受五戒法相同。

（三）犯相重轻，依旧疏新疏有种种差别，应随个人力量而行。现以例说。如妄语戒：旧疏说大妄语乃犯波罗夷罪；新疏说小妄语即犯波罗夷罪。至于起杀、盗、淫、妄之心即犯波罗夷，乃是为地上菩萨所制，我等凡夫是做不到的。

所谓菩萨戒虽不易得，但如有真诚之心亦非难事，且可自誓受。不比沙弥比丘戒，必须要请他人授。因为菩萨戒、五戒、八戒，皆可自誓受，所以我们颇有得菩萨戒之希望。

五

今天《律学要略》讲完，我想在其中有不妥当处或错误处，还请诸位原谅。最后我尚有几句话：诸位在此受戒很好。在近代说，如外江最有名望的地方，虽有传戒，实不及此地完备。这是这里办事很有热心，很有精神，很有秩序，诚使我佩服使我赞美。就以讲律来说，此地戒期中讲《沙弥律》、《比丘戒本》、《梵网经》，他方是难有的！

几年前，泉州大开元寺于戒期中提倡讲律，大家皆说是破天荒的举动。本寺此次传戒之美备，实与数年前大开元寺相同。并有露天演讲，使外人亦有种植善根之机缘，诚办事周到之处。

本年天灾频仍，泉州亦不在例外。在人心惨痛境遇萧条的状况中，本寺居然以极大规模很圆满地开戒，这无非是诸位长老及大护法的道德感化所及。我这次到此地，心实无限欢喜——此是实话，并非捧场。此次能碰着这大机缘，与诸位相聚，甚慰衷怀。最后还要与诸位"恭喜！"

净土法门大意

壬申十月在厦门妙释寺讲

今日在本寺演讲，适值念佛会期。故为说修净土宗者应注意的几项。

修净土宗者，第一须发大菩提心。《无量寿经》中所说三辈往生者，皆须发无上菩提之心。《观无量寿佛经》亦云，欲生彼国者，应发菩提心。

由是观之，惟求自利者，不能往生。因与佛心不相应，佛以大悲心为体故。

常人谓净土宗惟是送死法门（临终乃有用）。岂知净土宗以大菩提心为主。常应抱积极之大悲心，发救济众生之宏愿。

修净土宗者，应常常发代众生受苦心。愿以一肩负担一切众生，代其受苦。所谓一切众生者，非限一县一省，乃至全世界。若依佛经说，如此世界之形，更有不可说不可说许多之世界，有如此之多故。凡此一切世界之众生，所造种种恶业应受种种之苦，我愿以一人一肩之力完全负担。决不畏其多苦，请旁人分任。因最初发誓愿，决定愿以一人之力救护一切故。

譬如日，不以世界多故，多日出现。但一日出，悉能普照一切众生。今以一人之力，负担一切众生，亦如是。

以上但云以一人能救一切，是横说。若就竖说，所经之时间，非一日数日数月数年。乃经不可说不可说久远年代，尽于未来，决不厌倦。因我愿于三恶道中，以身为抵押品，赎出一切恶道众生。众生之罪未尽，我决不离恶道，誓愿代其受苦。故虽经过极长久之时间，亦决不起一念悔心，一念怯心，一念厌心。我应生十分大欢喜心，以一身承当此利生之事业也。以上讲应发大菩提心竟。

至于读诵大乘，亦是观经所说。修净土法门者，固应诵《阿弥陀经》，常念佛名。然亦可以读诵《普贤行愿品》，回向往生。因经中最胜者，《华严经》，《华严经》之大旨，不出《普贤行愿品》第四十卷之外。此经中说，诵此普贤愿王者，能获种种利益，临命终时，此愿不离，引导往生极乐世界，乃至成佛。故修净土法门者，常读诵此《普贤行愿品》，最为适宜也。

至于作慈善事业，乃是人类所应为者。专修念佛之人，往往废弃世缘，懒作慈善事业，实有未可。因现生能作种种慈善事业，亦可为生西之资粮也。

就以上所说，第一劝大家应发大菩提心。否则他人将谓净土法门是小乘、消极的、厌世的、送死的。

复劝常读《行愿品》，可以助发增长大菩提心。若发心者，自无此讥评。

至于作慈善事业尤要。因既为佛徒，即应努力作利益社会种种之事业，乃能令他人了解佛教是救世、积极的，不起误会。

关于净土宗修持法，于诸书皆详载，无俟赘陈。故惟述应注意者数事，以备诸君参考。

药师如来法门略录

戊寅七月在泉州清尘堂讲

药师法门依据《药师经》而建立。此土所译《药师经》有四种：

（一）《佛说灌顶拔除过罪生死得脱经》一卷，即《大灌顶神咒经》卷十二，东晋帛尸梨蜜多罗译。又相传有刘宋慧简译《药师琉璃光经》一卷，今已佚失，或云即是东晋所译之《灌顶经》。

（二）《佛说药师如来本愿经》一卷，隋达摩笈多译。

（三）《药师琉璃光如来本愿功德经》一卷，唐玄奘译。此即现今流通本所据之译本。现今流通本与原译本稍有不同者有增文两段，一为依东晋译本补入之八大菩萨名，二为依唐义净译本补入神咒及前后文二十余行。

（四）《药师琉璃光七佛本愿功德经》二卷，唐义净译。前数译惟述药师佛，此译复增六佛，故云《七佛本愿功德经》，以外增加之文甚多。西藏僧众所读诵者为此本。

修持之法具如经文所载，今且举四种如下：

（一）持名，经中屡云闻名持名，因其法最为简易，其所获之益亦最为广大也。今人持名者皆曰消灾延寿药师佛似未尽善，佛名惟举药师二字未能具足。佛德惟举消灾延寿四字亦多所缺略，故须依据经文而曰药师琉璃光如来斯为最妥善矣。

（二）供养，如香华幡灯等。

（三）诵经，及演说开示书写等。

（四）持咒。

所获利益广如经文所载，今且举十种如下：

（一）速得成佛，经中屡言之。

（二）行邪道者令入正道，行小乘者令入大乘。

（三）能得种种戒，又犯戒者还得清净不堕恶趣。

（四）得长寿富饶官位男女等。

（五）得无尽，所受用物无所乏少。

（六）一切痛苦皆除，水火刀兵盗贼刑戮诸灾难等悉免。

（七）转女成男。

（八）产时无苦，生子聪明少病。

（九）命终后随其所愿往生：

1. 人中，得大富贵。

2. 天上，不复更生诸恶趣。

3. 西方极乐世界，有八大菩萨接引。

4. 东方净琉璃世界。

（十）在恶趣中暂闻佛名即生人道修诸善行速证菩提。

灵感事迹甚多如旧录所载，今且举近事一则如下：

泉州承天寺觉圆法师，于未出家时体弱多病，既出家后二年之内病苦缠绵诸事不顺。后得闻药师如来法门，遂专心诵经持名忏悔，精勤不懈，迄至于今，身体康健，诸事顺利。法师近拟编辑药师圣典汇集，凡经文疏释及仪轨等，悉搜集之，刊版流布，以报佛恩焉。

跋

曩余在清尘堂讲药师如来法门，后由诸善友印施讲录。其时经他人辗转钞写，颇有讹误。兹由觉圆法师捐资再版印行，请余校正原稿，广为流布。法师出家以来，于药师法门最为信仰，近拟于泉州兴建大药师寺，其愿力广大，尤足令人赞叹云。

沙门一音

药师如来法门一斑

一九三九年五月于福建永春普济寺所作的讲演　王世英记

今天所讲，就是深契时机的《药师如来法门》。我近年来与人谈及《药师法门》时，所偏注重的，有几样意思。今且举出略说一下。

《药师法门》甚为广大，今所举出的几样，殊不足以包括《药师法门》的全体，亦只说是法门之一斑了。

一　维持世法

佛法本以出世间为归趣，其意义高深，常人每难了解。若《药师法门》，不但对于出世间往生成佛的道理屡屡言及，就是最浅近的现代实际上人类生活亦特别注重。如经中所说："消灾除难，离苦得乐，福寿康宁，所求如意，不相侵凌，互为饶益"等，皆属于此类。

就此可见，佛法亦能资助家庭社会的生活，与维持国家世界的安宁，使人类在这现生之中，即可得到佛法的利益。

或有人谓佛法是消极的，厌世的，无益于人类生活的。闻以上所说《药师法门》亦能维持世法，当不至对于佛法再生种种误解了。

二　辅助戒律

佛法之中，是以"戒"为根本的，所以佛经说："若无净戒，诸善功德不生。"但是受戒容易，得戒为难，持戒不犯更为难。

今若能依照《药师法门》去修持力行，就可以得到上品圆满的戒。

假使于所受之戒有毁犯时，但能至心诚恳持念药师佛号并礼敬供养者，即可消除犯戒的罪，还得清净，不至再堕落在三恶道中。

三　决定生西

佛法的宗派非常之繁，其中以净土宗最为兴盛。现今出家人或在家人修持此宗求生西方极乐世界者甚多。但修净土宗者，若再能兼修《药师法门》，亦有资助决定生西的利益。依《药师经》说："若有众生能受持八关斋戒，又能听见药师佛名，于其临终时，有八位大菩萨来接引往西方极乐世界众宝莲花之中。”

依此看来，药师虽是东方的佛，而也可以资助往生西方，能使吾人获得决定往生西方的利益。

再者，吾人修净土宗的，倘能于现在环境的苦乐顺逆一切放下，无所挂碍，则固至善。但是切实能够如此的，千万人中也难得一二。因为我们是处于凡夫的地位，在这尘世之时，对于身体衣食住处等，以及水火刀兵的天灾人祸，在在都不能不有所顾虑。倘使身体多病，衣食住处等困难，又或常常遇着天灾人祸的危难，皆足为用功办道的障碍。若欲免除此等障碍，必须兼修《药师法门》以为之资助，即可得到《药师经》中所说——“消灾除难，离苦得乐”等种种利益也。

四　速得成佛

《药师经》决非专说世间法的。因《药师法门》惟是一乘速得成佛的法门，所以经中屡云：“速证无上正等菩提，速得圆满”等。

若欲成佛，其主要的原因——即是“悲”、“智”两种愿心。

《药师经》云：“应生无垢浊心无怒害心，于一切有情，起利益安乐慈悲喜舍平等之心”，就是这个意思。前两句从反面转说：“无垢浊心”——就是智心，“无怒害心”——就是悲心：下一句正说：“舍”及“平等之心”——就是智心，余属悲心。

悲智为因，菩提为果，乃是佛法之通途。凡修持《药师法门》者，对于以上几句经文，尤宜特别注意，尽力奉行。

假使不如此，仅仅注意在资养现实人生的事，则惟获人天福报，与夫出世间之佛法了无关系。若是受戒，也不能得上品圆满的戒；或是生西，也不能往生上品。

所以，我们修持《药师法门》的，应该把以上几句经文特别注意，依此发起“悲智”的弘愿。假使如此，则能以出世的精神来做世间的事业，也能得上品圆满的戒，也能往生上品。将来速得成佛，可容无疑了。

《药师法门》甚为广大。上所述者，不过是我常对人讲的几样意思。将来暇时，尚拟依据全部经义，编辑较完备的《药师法门》著作以备诸君参考。

最后再就持念药师佛名的方法略说一下。念佛名时，应依经文念曰：“南无药师琉璃光如来”。不可念“消灾延寿药师佛”。

药师法门修持课仪略录

己卯二月在泉州光明寺讲

药师如来法门大略，如大药师寺已印行之《药师如来法门略录》所载。

今所述者，为吾人平常修持简单之课仪。若正式供养法，乃至以五色缕结药叉神将名字法等，将来拟别辑一卷专载其事，今不述及。

欲修持药师如来法门者，应供药师如来像。上海佛学书局有石印彩色之像，可以供奉，宜装入玻璃镜中。供像之处，不可在卧室。若不得已，在卧室中供奉者，睡眠之时，宜以净布覆盖像上。

《药师经》，供于几上。不读诵时，宜以净布覆盖。

供佛像之室内，须十分洁净，每日宜扫地，并常常拂拭几案。

供佛之香，须择上等有香气者。

供佛之花，须择开放圆满者，若稍残萎，即除去。花瓶之水，宜每日更换。若无鲜花时，可用纸制者代之。

此外如供净水供食物等，随各人意。但所供食物，须人可食者乃供之，若未熟之水果及未烹调之蔬菜等皆不可供。

以上所举之供物，应于礼佛之前预先供好。凡在佛前供物或礼佛时，必须先洗手漱口。

此外如能悬幡燃灯尤善，无者亦可。

以下略述修持课仪，分为七门。其中礼敬赞叹供养回向发愿，必须行之。诵经持名持咒，可随己意，或惟修二法，或仅修一法，皆可。

一 礼 敬

十方三宝一拜，或分礼佛法僧三拜。本师释迦牟尼佛一拜。药师琉璃光如来三拜。此外若欲多拜，或兼礼敬其他佛菩萨者，随己意增加。

礼敬之时，须至诚恭敬，缓缓拜起。万不可匆忙。宁可少拜，不可草率。

二 赞 叹

礼敬既毕，于佛前长跪合掌，唱赞偈云：

归命满月界净妙琉璃尊

法药救人天因中十二愿

慈悲弘誓广愿度诸众生

我今申赞扬志心头面礼

上赞偈出药师如来消灾除难念诵仪轨。

唱赞之时，声宜迟缓，宜庄重。

三　供　养

赞叹既毕，于佛前长跪合掌，唱供养偈云：

愿此香花云遍满十方界

一一诸佛土无量香庄严

具足菩萨道成就如来香

供养毕，或随已意增诵忏悔文，或可略之。

四　诵　经

字音不可讹误，宜详考之。

诵经时，或跪或立或坐或经行皆可。

五　持　名

先唱赞偈云：

药师如来琉璃光焰网庄严无等伦

无边行愿利有情各遂所求皆不退

续云，南无东方净琉璃世界药师琉璃光如来。以后即持念药师琉璃光如来名号一百八遍。若欲多念者，随意。

六　持　咒

或据经中译音持念，或别依师学梵文原音持念，皆可。

或念全咒一百八遍。或先念全咒七遍，继念心咒一百八遍，后复念全咒七遍。心咒者，即是咒中唵字以下之文。

未经密宗阿阇黎传授，不可结手印。擅结者，有大罪。

持咒时，不宜大声，惟令自己耳中得闻。

持咒时，以坐为正式，或经行亦可。

七 回向发愿

回向与发愿大同，故今并举。其稍异者，回向须先修功德，再以此功德回向，惟愿如何云云。若先未作功德者，仅可云发愿也。

回向发愿，为修持者最切要之事。若不回向，则前所修之功德，无所归趣。今修持药师如来法门者，回向之愿，各随己意。凡《药师经》中所载者，皆可发之，应详阅经文，自适其宜可耳。

以上所述之修持课仪，每日行一次或二次三次。必须至心诚恳，未可潦草塞责。印光老法师云："有一分恭敬，得一分利益，有十分恭敬，得十分利益。"吾人修持药师如来法门者，应深味斯言，以自求多福也。

李叔同作品精选 · 梵音雷动

以教印心，以律严身，内外清净，菩提之因。

——太虚大师

初发心者在家律要

凡初发心人，既受三皈依①，应续受五戒②。倘自审一时不能全受者，即先受四戒、三戒、乃至仅受一二戒都可。在家居士既闻法有素，知自行检点，严自约束，不蹈非礼，不敢轻率妄行，则杀生、邪淫、大妄语、饮酒之四戒，或可不犯。

惟有在社会上办事之人，欲不破盗戒，为最不容易事。例如与人合买地皮房屋，与人合做生意，报税纳捐时，未免有以多数报少数之事。因数人合伙，欲实报，则人以为愚，或为股东反对者有之。又不知而犯与明知违背法律而故犯之事，如信中夹寄钞票，与手写函件取巧掩藏，当印刷物寄，均犯盗税之罪。

凡非与而取，及法律所不许而取巧不纳，皆有盗取之心迹及盗取之行为，皆结盗罪。

非但银钱出入上，当严净其心；即微而至于一草一木、寸纸尺线，必须先向物主明白请求，得彼允许，而后可以使用；不待许可而取用，不曾问明而擅动，皆有不与而取之心迹，皆犯盗取盗用之行为，皆结盗罪。

---

① 三皈依：即“皈依佛”、“皈依法”、“皈依僧”，以示对“佛法僧”的诚心归依。

② 五戒：即佛教所规定的在家信徒所应终生遵守的五条戒条：一、不杀生；二、不偷盗；三、不邪淫；四、不妄语；五、不饮酒。

劝人听钟念佛文

近有人新发明听钟念佛之法，至为奇妙。今略述其方法如下，修净业者，幸试用之；并希以是广为传播焉。

凡座钟挂钟行动之时，若细听之，作叮当叮当之响（叮字响重，当字响轻）。即依此叮当叮当四字，设想作阿弥陀佛四字。或念六字佛者，以第一叮字为“南无”，第一当字为“阿弥”，第二叮字为“陀”，第二当字为“佛”。亦止用叮当叮当四字而成之也。又倘以其转太速，而欲迟缓者。可加一倍，用叮当叮当叮当叮当八字，假想做阿弥陀佛四字，即是每一叮当为一字也。或念六字佛者，以第一叮当为“南无”，第二叮当为“阿弥”，第三叮当为“陀”，第四叮当为“佛”也。

	四字佛				六字佛			
普通念法	叮 丨 阿	当 丨 弥	叮 丨 阿	当 丨 弥	叮 丨 南无	当 丨 阿弥	叮 丨 阿	当 丨 弥
普通念法	叮当 丨 阿	叮当 丨 弥	叮当 丨 阿	叮当 丨 弥	叮当 丨丨 南无	叮当 丨丨 阿弥	叮当 丨 阿	叮当 丨 佛

所用之钟，宜择叮当叮当速度调匀者用之。又欲其音响轻微者，可以布类覆于其上。（如昼间欲其响大者，将布撤去。夜间欲其音响轻者，将布覆上。）

初学念佛者若不持念珠记数，最易懈怠间断。若以此钟时常随身，倘有间断，一闻钟响，即可警觉也。又在家念佛者，居室附近，不免喧闹，若摄心念佛，殊为不易。今以此钟置于身旁，用耳专听钟响，其他喧闹之声，自可不至扰乱其耳也。又听钟功夫能纯熟者，则叮当叮当之响，即是阿弥陀佛之声。钟响佛声，无二无别。钟响则佛声常现矣。

普陀印光法师《覆永嘉论月律师函》云：“凡夫之心，不能无依，而娑婆耳根最利。听自念佛之音亦亲切。但初机未熟，久或昏沉，故听钟念之，最为有益也。”

授三归依大意[1]

第一章　三归之略义

三归者：归依于佛、法、僧三宝也。三宝义甚广，有种种区别。今且就常人最易了解者略举之。

佛者：如释迦牟尼佛、阿弥陀佛等诸佛是也；法者：为佛所说之法，或菩萨等依据佛意所说之法——即现今所流传之大小乘经论三藏也；僧者：如菩萨声闻诸圣贤众，下至仅剃发被袈裟者皆是也。

归依者：归向依赖之意。归依于三宝者：乞三宝救护也。《大方便佛报恩经》云：譬人获罪于王，投向异国，以求救护异国王言：汝来无畏，但莫出我境，莫违我教，心相救护。众生亦尔。系属于魔，有生死罪，归向三宝，以求救护。若诚心归依，更无异向，不违佛教，魔王邪恶，无如之何。

既已归依于佛，自今以后，决不再依天仙神鬼一切诸外道等；

既已归依于法，自今以后，决不再依诸外道典籍；

既已归依于僧，自今以后，决不再依于不奉行佛法者。

第二章　授三皈之方法

一、忏悔。

二、正授三归。

三、发愿回向。

应先请授者详力解释此三种文义。因仅读文而未解义，不能获诸善法也。

正授三归之文有多种。常用者如下：

我某甲尽形寿，归依佛，归依法，归依僧——三说；

我某甲归依佛竟，归依法竟，归依僧竟——三结。

前三说时，已得归依善法。后三结者，当更叮咛，令不忘失也。

---

① 本文系弘一大师一九三三年五月三十一日在厦门万寿禅寿所作的讲演。

忏悔文及发愿回向文，由授者酌定之。但发愿回向，应有以此功德回向众生同生西方齐成佛道之意，万不可惟求自利也。

第三章　授三归之利益

经律论中，赞叹归依三宝功德之文甚多。今略举四则：

《灌顶经》云：受三归者，有三十六善神，与其无量诸眷属，守护其人，令其安乐。

《善生经》云：若人受三归，所得果报，不可穷尽。如四大宝藏（四宝者：金、银、琉璃、玻璃），举国人民，七年之中，运出不尽。受三归者，其福过彼，不可称计。

《较量功德经》云：若三千大千世界，满中如来，如稻麻竹苇。若人四事供养（饮食、衣服、卧具、汤药），满二万岁，诸佛灭后，各起宝塔，复以香花供养，其福甚多；不如有人以清净心，归依佛法僧三宝所得功德。

《大集经》云：妊娠女人，恐胎不安，先授三归依，儿无加害；乃至生已，身心俱足，善神拥护。是母受兼资于子也。

第四章　结　语

在本寺正式讲律，至今日圆满。今日所以聚集缁素诸众讲三归大意者：一以备诸师参考，俾他日为人授三归时，知其简要之方法也。一以教诸在家人，令彼等了知三归之大意。俾已受者能了此意，应深自庆幸；其未受者先能了知此意，且为他日依师受三归之基础也。

放生与杀生之果报

癸酉五月十五日在泉州大开元寺讲

今日与诸君相见。先问诸君（一）欲延寿否？（二）欲愈病否？（三）欲免难否？（四）欲得子否？（五）欲生西否？

倘愿者。今有一最简便易行之法奉告。即是放生也。

古今来，关于放生能延寿等之果报事迹甚多。今每门各举一事，为诸君言之。

一、延寿　张从善，幼年，尝持活鱼，刺指痛甚。自念我伤一指，痛楚如是。群鱼剔腮剖腹，断尾剖鳞，其痛如何？特不能言耳。遂尽放之溪中，自此不复伤一物，享年九十有八。

二、愈病　杭州叶洪五，九岁时，得恶梦，惊寤，呕血满床，久治不愈。先是彼甚聪颖，家人皆爱之，多与之钱，已积数千缗。至是，其祖母指钱曰，病至不起，欲此何为？尽其所有，买物放生，及钱尽，病遂全愈矣。

三、免难　嘉兴孔某，至一亲戚家。留午餐，将杀鸡供馔。孔力止之，继以誓，遂止。是夕宿其家，正捣米，悬石杵于朽梁之上。孔卧其下。更余，已眠。忽有鸡来啄其头，驱去复来，如是者三。孔不胜其扰，遂起觅火逐之。甫离席，而杵坠，正在其首卧处。孔遂悟鸡报恩也。每举以告人，劝勿杀生。

四、得子　杭州杨墅庙，甚有灵感。绍兴人倪玉树，赴庙求子。愿得子日，杀猪羊鸡鹅等谢神。夜梦神告曰，汝欲生子，乃立杀愿何耶？倪叩首乞示。神曰：尔欲有子，物亦欲有子也。物之多子者莫如鱼虾螺等，尔盍放之！倪自是见鱼虾螺等，即买而投之江。后果连产五子。

五、生西　湖南张居士，旧业屠，每早宰猪，听邻寺晓钟声为准。一日忽无声。张问之。僧云：夜梦十一人乞命，谓不鸣钟可免也。张念所欲宰之猪，适有十一子。遂乃感悟。弃屠业，皈依佛法。勤修十余年，已得神通，知去来事。预告命终之日，端坐而逝。经谓上品往生，须慈心不杀，张居士因戒杀而得往生西方，决无疑矣。

以上所言，且据放生之人今生所得之果报。若据究竟而言，当来决定成佛。因佛心者，大慈悲是，今能放生，即具慈悲之心，能植成佛之因也。

放生之功德如此。则杀生所应得之恶报，可想而知，无须再举。因杀生之人，现生即短命、多病、多难、无子及不得生西也。命终之后，先堕地狱、饿鬼、畜生，经无量劫、备受众苦。地狱、饿鬼之苦，人皆知之。至生于畜生中，即常常有怨仇返报之事。昔日杀牛羊猪鸡鸭鱼虾等之人，即自变为牛羊猪鸡鸭鱼虾等。昔日被杀之牛羊猪鸡鸭鱼虾等，或变为人，而返杀害之。此是因果报应之理，决定无疑，而不能幸免者也。

既经无量劫，生三恶道，受报渐毕。再生人中，依旧短命、多病、多难、无子及不得生西也。以后须再经过多劫，渐种善根，能行放生戒杀诸善事，又能勇猛精勤忏悔往业，乃能渐离一切苦难也。

抑余又有为诸君言者。上所述杀牛羊猪鸡鸭鱼虾，乃举其大者而言。下至极微细之苍蝇蚊虫臭虫跳蚤蜈蚣壁虎蚁子等，亦决不可害损。倘故意杀一蚊虫，亦决定获得如上所述之种种苦报。断不可以其物微细而轻忽之也。

今日与诸君相见，余已述放生与杀生之果报如此苦乐不同。惟愿诸君自今以后，力行放生之事，痛改杀生之事。余尝闻人云：泉州近来放生之法会甚多，但杀生之家犹复不少。或有一人茹素，而家中男女等仍买鸡鸭鱼虾等之活物任意杀害也。愿诸君于此事多多注意。自己既不杀生，亦应劝一切人皆不杀生。况家中男女等，皆自己所亲爱之人，岂忍见其故造杀业，行将备受大苦，而不加以劝告阻止耶？诸君勉旃，愿悉听受余之忠言也。

敬三宝

癸酉闰五月五日在泉州大开元寺讲

三宝者，佛、法、僧也。其义甚广，今唯举其少分之义耳。

今言佛者，且约佛像而言，如木石等所雕塑及纸画者也。

今言法者，且约经律论等书册而言，或印刷或书写也。

今言僧者，且约当世凡夫僧而言，因菩萨罗汉等附入，敬佛门也。

第一敬佛　略举常人所应注意者数条

礼佛时宜洗手漱口，至诚恭敬，缓缓而拜，不可急忙，宁可少拜，不可草率。佛几清洁，供香端直，供佛之物，以烹调精美，人所能食者为宜。今多以食物之原料及罐头而供佛者，殊为不敬。蕅益大师大悲行法中，曾痛斥之。又供佛宜在午前，不宜过午也。供水果亦宜午前，供水宜捧奉式。供花，花瓶水宜常换。

纸画之佛像，不可仅以绫裱，恐染蝇粪等秽物也。（少蝇者或可）宜装入玻璃镜中。

木石等雕塑者，小者应入玻璃龛中，大者应作宝盖罩之，并须常拂拭像上之尘土也。

凡大殿及供佛之室中，皆不宜踞坐笑谈，如对于国王大臣乃至宾客之前尚应恭敬，慎护威仪，何况对佛像耶？不可佛前晒衣服，宜偏侧。不得在大殿前用夜壶水浇花。若卧室中供佛像者，眠时应以净布遮障。

第二敬法　略举常人所应注意者数条

读经之时，必须洗手、漱口、拭几，衣服整齐，威仪严肃，与礼佛时无异。蕅益大师云：“展卷如对活佛，收卷如在目前，千遍，万遍寤寐不忘。如是乃能获读经之实益也。

对于经典，应十分恭敬护持，万不可令其污损。又翻篇时，宜以指腹轻轻翻之，不可以指爪划，又不应折角，若欲记志，以纸片加入可也。

若经典残缺者亦不可烧。卧室中几上置经典者，眠时应以净布盖之。

[附]

每日诵经时仪式		
	礼佛	多少不拘。
	赞佛	经偈或天上天下无如佛等，阿弥身金色等。炉香乍热不是赞陀佛佛。
	供养	愿此香华云等。
	读经	
	回向	不拘．或用我此普贤殊胜行等。

第三敬僧　略举常人所应注意者数条

凡剃发披袈裟者，皆是释迦佛子，在家人见之，应一例生恭敬心，不可分别持戒破戒。

若皈依三宝时，礼一出家人为师而作证明者，不可妄云皈依某人；因所皈依者为僧，非皈依某一人。应于一切僧众若贤若愚，生平等心，至诚恭敬，尊之为师，自称弟子，则与皈依僧伽之义，乃符合矣。

供养僧者亦尔。不可专供有德者，应于一切僧生平等心普遍供之，乃可获极大之功德也。专赠一人者功德小，供众者功德大。

出家人若有过失，在家人闻之万不可轻言。此为佛所痛诫者最宜慎之。以上略言敬三宝义竟。兹附有告者，厦门泉州神庙甚多，在家敬神每用猪鸡等物。岂知神皆好善而恶杀，今杀猪鸡等物而供神，神不受享，又安能降福而消灾耶？惟愿自今以后，痛革此种习惯，凡敬神时，亦一例改用素，则至善矣。

常随佛学

癸酉七月十一日在泉州承天寺为幼年诸学僧讲

《华严行愿品》末卷所列十种广大行愿中，第八曰常随佛学。若依华严经文所载种种神通妙用，决非凡夫所能随学。但其他经律等，载佛所行事，有为我等凡夫作模范，无论何人皆可随学者亦屡见之。今且举七事：

一　佛自扫地

根本说一切有部毗奈耶杂事云：“世尊在逝多林。见地不净，即自执篲（叙锐切。）欲扫林中。时舍利子大目犍连大迦叶阿难陀等，诸大声闻，见是事已，悉皆执篲共扫园林。时佛世尊及胜圣弟子扫除已，入食堂中，就座而坐。佛告诸比丘凡扫地者，有五胜利。一者自心清净。二者令他心净。三者诸天欢喜。四者植端正业。五者命终之后当生天上。”

二　佛自舁（音余。即共扛抬也。）弟子及自汲水

《五分律》，佛制饮酒戒缘起云：“婆伽陀比丘，以降龙故，得酒醉。衣钵纵横。佛与阿难舁至井边，佛自汲水阿难洗之”等。

三　佛自修房

《十诵律》云：“佛在阿罗毗国。见寺门楣（门户上之横梁）损，乃自修之。”

四　佛自洗病比丘及自看病

《四分律》云：“世尊即扶病比丘起，拭身不净，拭已洗之。洗已复为浣衣晒干。有故坏卧草弃之。扫除住处，以泥浆涂洒极令清净。更敷新草，并敷一衣。还安卧病比丘已，复以一衣覆上。”

《西域记》云：“祇桓东北有塔，即如来洗病比丘处。”又云：“如来在日有病比丘，含苦独处。佛问：‘汝何所苦，汝何独居？’答曰：‘我性疏懒不耐看病，故今婴疾，无人瞻视。’佛愍而告曰：‘善男子！我今看汝。’”

五　佛为弟子裁衣

《中阿含经》云："佛亲为阿那律裁三衣。"诸比丘同时为连合，即成。

六　佛自为老比丘穿针

此事知者甚多，今以忘记出何经律，不及检查原文，仅就所记忆大略之义录之。佛在世时有老比丘补衣。因目昏花，未能以线穿针孔中。乃叹息曰："谁当为我穿针?"佛闻之，即立起曰："我为汝穿之"等。

七　佛自乞僧举过

是谓佛及弟子等结夏安居既竟，具仪自恣时也。增一阿含经云："佛坐草座，即是离本座，(敷草于地而坐也。所以尔者，恣僧举过，舍憍慢故。)告诸比丘言："我无过咎于众人乎？又不犯身口意乎？如是至三。"灵芝律师云："如来亦自恣者，示同凡法故；垂范后世故；令众省己故；使折我慢故。"

如是七事，冀诸仁者勉力随学。远离憍慢，增长悲心，广植福业，速证菩提。是为余所悕愿者耳。

切莫误解佛教

佛教传入中国，已有一千九百多年的历史，所以佛教与中国的关系非常密切。中国的文化、习俗，影响佛教，佛教也影响了中国文化习俗，佛教已成为我们自己的佛教。但佛教是来于印度，印度的文化特色，有些是中国人所不易明了的，受了中国习俗的影响，有些是不合佛教的本意的，所以佛教在中国，信佛法的与不相信佛法的人，对于佛教，每每有些误会，不明佛教本来的意义，发生错误的见解，因此相信佛法的人，不能正确的信仰，批评佛教的人，也不会批评到佛教本身。我觉得信仰佛教或者怀疑评论佛教的人，对于佛教的误解应该先要除去，才能真正的认识佛教，现在先提出几种重要一点来说，希望大家能有正确的见解。

一　由于佛教教义而来的误解

佛法的道理很深，有的人不明白深义，只懂得表面文章，随便听了几个名词，就这么讲，那么说，结果不合佛教本来的意思。最普遍的，如“人生是苦”“出世间”“一切皆空”等名词，这些当然是佛说的，而且是佛教重要的理论，但一般人很少能正确了解它，现在分别来解说：

（一）“人生是苦”。佛指示我们，这个人生是苦的。不明白其中的真义的人，就生起错误的观念，觉得我们这个人生毫无意思，因而引起消极悲观，对于人生应该怎样努力向上，就缺乏力量。这是一种被误解得最普遍的，社会一般每拿这消极悲观的名词，来批评佛教，而信仰佛教的，也每陷于消极悲观的错误，其实“人生是苦”这句话，绝不是那样的意思。

凡是一种境界，我们接触的时候，生起一种不合自己意趣的感受，引起苦痛忧虑，如以这个意思来说苦，说人都是苦的，是不够的，为什么呢？因为人生也有很多快乐事情，听到不悦耳的声音固然讨厌，可是听了美妙的音调，不就是欢喜吗？身体有病，家境困苦，亲人别离，当言是痛苦，然而身体健康，经济富裕，合家团圆，不是很快乐吗？无论什么事，苦乐都是相对的，假如遇到不如意的事，就说人生是苦，岂非偏见了。

那么，佛说人生是苦，这苦是什么意义呢？经上说："无常故苦。"一切都无常，都会变化，佛就以无常变化的意思说人生都是苦的。譬如身体健康并不永久，会慢慢衰老病死，有钱的也不能永远保有，有时候也会变穷，权位势力也不会持久，最后还是会失掉。以变化无常的情形看来，虽有喜乐，但不永久，没有彻底，当变化时，苦痛就来了。所以佛说人生是苦，苦是有缺陷，不永久，没有彻底的意思。学佛的人，如不了解真义，以为人生既不圆满彻底，就引起消极悲观的态度，这是不对的。真正懂得佛法的，看法就完全不同，要知道佛说人生是苦这句话，是要我们知道现在这人生是不彻底，不永久的，知道以后可以造就一个永久圆满的人生。等于病人，必须先知道有病，才肯请医生诊治，病才会除去，身体就恢复健康一样。为什么人生不彻底不永久而有苦痛呢？一定有苦痛的原因存在，知道了苦的原因，就会尽力把苦因消除，然后才可得到彻底圆满的安乐。所以佛不单单说人生是苦，还说苦有苦因，把苦因除了就可得到究竟安乐。学佛的应照佛所指示的方法去修学，把这不彻底不圆满的人生改变过来，成为一个究竟圆满的人生。这个境界，佛法叫做常乐我净。

常是永久，乐是安乐，我是自由自在，净是纯洁清净。四个字合起来，就是永久的安乐，永久的自由，永久的纯洁。佛教最大的目标，不单说破人生是苦，而是主要的在于将这苦的人生改变过来（佛法名为"转依"），造成为永久安乐自由自在纯洁清净的人生。指示我们苦的原因在哪里，怎样向这目标努力去修持。常乐我净的境地，即是绝对的最有希望的理想境界，是我们人人都可达到的。这样怎能说佛教是消极悲观呢。

虽然，学佛的不一定能够人人都得到这顶点的境界，但知道了这个道理，真是好处无边。如一般人在困苦的时候，还知努力为善，等到富有起来，一切都忘记，只顾自己享福，糊糊涂涂走向错路。学佛的，不只在困苦时知道努力向上，就是享乐时也随时留心，因为快乐不是永久可靠，不好好向善努力，很快会堕落失败的。人生是苦，可以警觉我们不至于专门研究享受而走向错误的路，这也是佛说人生是苦的一项重要意义。

（二）“出世”。佛法说有世间，出世间，可是很多人误会了，以为世间就是我们住的那个世界，出世间就是到另外什么地方去，这是错了，我们每个人在这个世界，就是出了家也在这个世界。得道的阿罗汉、菩萨、佛，都是出世间的圣人，但都是在这个世界救度我们，可见出世间的意思，并不是跑到另外一个地方去。

那么佛教所说的世间与出世间是什么意思呢？依中国向来所说，“世”有时间性的意思，如三十年为一世，西洋也有这个意思，叫一百年为一世纪。所以世的意思就是有时间性的，从过去到现在，现在到未来，在这一时间之内的叫“世间”。佛法也如此，可变化的叫世，在时间之中，从过去到现在，现在到未来，有到没有，好到坏，都是一直变化，变化中的一切，都叫世间。还有，世是蒙蔽的意思，一般人不明过去，现在，未来三世的因果，不知道从什么地方来，要怎样做人，死了要到哪里去，不知道人生的意义，宇宙的本性，糊糊涂涂在这三世因果当中，这就叫做“世间”。

怎样才叫出世呢？出是超过或胜过的意思，能修行佛法，有智慧，通达宇宙人生的真理，心里清净，没有烦恼，体验永恒真理就叫“出世”。佛菩萨都是在这个世界，但他们都是以无比智慧通达真理，心里清净，不像普通人一样。所以出世间这个名词，是要我们修学佛法的，进一步能做到人上之人，从凡夫做到圣人，并不是叫我们跑到另外一个世界去。不了解佛法出世的意义的人，误会佛教是逃避现实，因而引起不正当的批评。

（三）“一切皆空”。佛说一切皆空，有些人误会了，以为这样也空，那样也空，什么都空，什么都没有，横竖是没有，无意义，这才坏事干，好事也不做，糊糊涂涂地看破一点，生活下去就好了。其实佛法之中空的意义，是有着最高的哲理，诸佛菩萨就是悟到空的真理者。空并不是什么都没有，反而是样样都有，世界是世界，人生是人生，苦是苦，乐是乐，一切都是现成的，佛法之中，明显的说到有邪有正有善有恶有因有果，要弃邪归正，离恶向善，作善得善果，修行成佛。如果说什么都没有，那我们何必要学佛呢？既然因果，善恶，凡夫圣人样样都有，佛为什么说一切皆空？空是什么意义呢？因缘和合而成，没有实在的不变体，叫空。邪正善恶人生，这一切都不是一成不变实在的东西，皆是依因缘的关系才有的，因为是从因缘而产生，所以依因缘的转化而转化，没有实体所以叫空。举一个事实来说吧，譬如一个人对着一面镜子，就会有一个影子在镜里，怎会有那个影子呢？有镜有人还要借太阳或灯光才能看出影子，缺少一样便不成，所以影子是种种条件产生的，这不是一件实在的物体，虽然不是实体，但所看到的影子，是清清楚楚并非没有。一切皆空，就是依这个因缘所生的意义而说的，所以佛说一切皆空，同时即说一切因缘皆有，不但要体悟一切皆空，还要知道有因有果，有善有恶。学佛的，要从离恶行善，转迷启悟的学程中去证得空性，即空即有，二谛圆融：一般人以为佛法说空，等于什么都没有，是消极是悲观，这都是由于不了解佛法所引起的误会，非彻底纠正过来不可。

二　由于佛教制度而来的误解

佛教是从印度传来的，制度方面有一点不同。我国旧有的地方，例如出家与素食，不明了，一不习惯的人，对此引起许许多多的误会。

（一）“出家”。出家为印度佛教的制度，我国社会，特别是儒家对其误解最大。在国内，每听人说，大家学佛，世界上的人都没有了，为什么呢？大家都出家了。没有夫妇儿女，还成什么社会？这是严重的误会，我常比喻说：如教师们教学生，哪里教人人当教员去，成为教员的世界吗？这点在菲岛，不大会误会的，因为到处看得到神父、修女，他们也是出家，但只是天主教徒中的少部分，并非信天主教的人，人人要当神父、修女。学佛的有出家弟子，有在家弟子，出家可以学佛，在家也可以学佛，出家可以修行了生死，在家也同样可以修行了生死，并不是学佛的人一定都要出家，绝不因大家学佛，就会毁灭人类社会。不过出家与在家，既然都可以修行了生死，为什么还要出家呢？因为要弘扬佛教，推动佛教，必须有少数人主持佛教。主持的顶好是出家人，既没有家庭负担，又不做其他种种工作，可以一心一意修行，一心一意弘扬佛法。佛教要存在这个世界，一定要有这种人来推动他，所以从来就有此出家的制度。

出家功德大吗？当然大，可是不能出家的，不必勉强，勉强出家有时不能如法，还不如在家。爬得高的，跌得更重，出家功德高大，但一不当心，堕落得更厉害，要能真切发心，勤苦修行为佛教牺牲自己，努力弘扬佛法，才不愧为出家。出家人是佛教中的核心分子，是推动佛教的主体，不婚嫁，西洋宗教也有这样制度。有许多科学哲学家，为了学业，守独身主义，不为家庭琐事所累，而去为科学、哲学努力。佛教出家制，也就是摆脱世界欲累，而专心一意的为佛法。所以出家是大丈夫的事，要特别的勤苦，如随便出家，出家而不为出家事，那非但没有利益，反而有碍佛教。有的人，一学佛教想出家，似乎学佛非出家不可，不但自己误会了，也把其他人都吓住而不敢来学佛。这种思想——学佛就要出家，要不得，应认识出家不易，先做一良好在家居士为法修学，自利利他。如真能发大心，修出家行，献身佛教，再来出家，这样自己既稳当，对社会也不会发生不良影响。

与出家有关，附带说到两点，有的人看到佛寺广大庄严，清净幽美，于是羡慕出家人，以为出家人住在里面，有施主来供养，无须做工，坐享清福，如流传的“日高三丈犹未起”“不及僧家半日闲”之类，就是此种谬说，不知道出家人有出家人的事情要勇猛精进，自己修行时“初夜后夜，精勤佛道”。对信徒说法，应该四处游化，出去宣扬真理，过着清苦的生活，为众生为佛教而努力，自利利他，非常难得，所为僧宝，哪里是什么事都不做，坐享现成，坐等施主们来供养，这大概是出家者多，能尽出家人责任者少，所以社会有此误会吧！

有些反对佛教的人，说出家人什么都不做，为寄生社会的消费者，好像一点用处都没有。不知人不一定要从事农、工、商的工作，当教员，新闻记者，以及其他自由职业，也能说是消费者吗？出家人不是没有事做，过着清苦生活而且勇猛精进，所做的事，除自利而外，导人向善，重德行，修持，使信众的人格一天一天提高，能修行了生死，使人生世界得到大利益，怎能说是不做事的寄生者呢？出家人是宗教师，可说是广义而崇高的教育工作者，所以不懂佛法的人说出家人清闲，或说出家人寄生消费，都不对。真正出家并不如此，应该并不清闲而繁忙，不是消耗而能报施主之恩。

（二）“吃素”。我们中国佛教徒，特别重视素食，所以学佛的人，每以为学佛就要吃素还不能断肉食的，就会说：看看日本、锡兰、缅甸、泰国或者我国的西藏、蒙古的佛教徒，不要说在家信徒，连出家人也都是肉食的，你能说他们不学佛，不是佛教徒吗？不要误会学佛就得吃素，不能吃素就不能学佛，学佛与吃素并不是完全一致的，一般人看到有些学佛的，没有学到什么，只学会吃素，家庭里的父母兄弟儿女感觉讨厌，以为素食太麻烦。其实学佛的人，应该这样，学佛后，先要了解佛教的道理，在家庭社会，依照佛理做去，使自己的德行好，心里清净，使家庭中其他的人，觉得你在没学佛以前贪心大，嗔心很重，缺乏责任心与慈爱心，学佛后一切都变了，贪心淡，嗔恚薄，对人慈爱，做事更负责，使人觉得学佛在家庭社会上的好处，那时候要素食，家里的人不但不反对，反而生起同情心，渐渐跟你学，如一学佛就学吃素，不学别的，一定会发生障碍，引起讥嫌。

虽然学佛的人，不一定吃素，但吃素确是中国佛教良好的德行，值得提倡。佛教说素食可以养慈悲心，不忍杀害众生的命，不忍吃动物的血肉。不但减少杀生业障，而且对人类苦痛的同情心会增长。大乘佛法特别提倡素食，说素食对长养慈悲心有很大的功德。所以吃素而不能长养慈悲心，只是消极的戒杀，那还近于小乘呢！

以世间法来说，素食的利益极大，较经济，营养价值也高，可以减少病痛。现在世界上，有国际素食会的组织，无论何人，凡是喜欢素食都可以参加，可见素食是件好事，学佛的人更应该提倡，但必须注意的，就是不要把学佛的标准提得太高，认为学佛就非吃素不可。遇到学佛的人就会问：有吃素吗？为什么学佛这么久，还不吃素呢？这样把学佛与素食合一，对于弘扬佛法是有碍的。

三　对于佛教仪式而来的误解

不了解佛教的人，到寺里去看见礼佛念经、拜忏、早晚功课等等的仪式，不明白其中的真义，就说这些都是迷信。这里面问题很多，现在简单地说到下面几种：

（一）“礼佛”。入寺拜佛，拿香、花、灯烛来供佛，西洋神教徒，说我们是拜偶像，是迷信，其实佛是我们的教主，是人而进达究竟圆满的圣者，大菩萨们也是快要成佛的人，这是我们皈依处，是我们的领导者。尊重佛菩萨，当有所表示，好像恭敬父母必须有礼貌一样，佛在世的时候，没有问题，可以直接对他表示恭敬，可是现在释迦佛已入涅槃了，还有他方世界的佛菩萨，都不在我们这个世界，不得不用纸画、泥塑、木头、石块来雕刻他们的形象，作为恭敬礼拜的对象，因为这是表示佛菩萨的形象，我们才要恭敬礼拜他，并不因为他是纸、土、木、石。如我们敬爱我们的国家，要怎样表示尊敬呢？用颜色布做成国旗，当升旗的时候，恭恭敬敬地向国旗行礼，我们能否说这是迷信的行为？天主教也有像，基督教虽没有神像，但也有十字架作为敬礼的对象，有的还跪下祷告，这与拜佛有何差别呢？说佛教礼佛为拜偶像，这是西洋神教徒对我们礼佛的意义不够理解。

至于香花灯烛呢？佛在世时，在印度是用这些东西来供养佛的，灯烛是表示光明，香花是表示芬香清洁。信佛礼佛，一方面用这些东西来供养佛以表示虔敬，一方面即表示从佛得到光明清净，并不是献花烧香，使佛闻得香味，点灯点烛佛才能看到一切，西洋宗教，尤其是天主教，还不是用这些东西吗？这本是一般宗教的共同仪式。礼佛要恭敬虔诚，礼佛的时候，要观想为真正的佛。如果一面拜，一面想东想西，或者讲话，那是大不敬，失掉了礼佛的意义。

（二）“礼忏”。佛教徒礼忏诵经，异教徒，及非宗教者，也常常误以为迷信。不知道“忏”印度话叫忏摩，是自己做错了以后，承认自己错误的意思。因为一个人，在过去世以及现生中，谁都做过种种错事，犯有种种的罪恶，留下招引苦难，障碍修道解脱的业力，为了减轻及消除障碍苦难的业力，所以在佛菩萨前，众僧前，承认自己的错误，以消除自己的业障。佛法有礼忏的法门，这等于耶教的悔改，在宗教的进修上是非常重要的。忏悔要自己忏，内心真切的忏，才合乎佛教的意思。

一般人不会忏悔要怎么办呢。古代祖师就编集忏悔的仪规，教我们一句一句念诵，口诵心思，也就是知道里面的意义，忏悔自己的罪业了。忏仪中教我们怎样的礼佛，求佛菩萨慈悲加护，承认自己的错误，知道杀生、偷盗、邪淫等的不是，一心发愿改往修来，这些都是过去祖师们教我们忏悔的仪规（耶教也有耶稣示范的祷告文），但主要还是要从心里发出真切的悔改心。

有些人，连现成的仪规也不会念诵，就请出家人领导着念，慢慢地自己不知道忏悔，专门请出家人来为自己礼忏了，有的父母眷属去世了为要借三宝的恩威，来消除父母眷属的罪业，也请出家人来礼忏，以求亡者的超升，然而如不明佛法本意，为了铺排门面，为了民间风俗，只是费几个钱，请几个出家人来礼忏做功德，而自己或不信佛法，或者自己毫无忏悔恳切的诚意，那是失掉忏礼的意义了。

佛教到了后来，忏悔的意义模糊了。学佛的自己不忏，事无大小都请出家人，弄得出家人为了佛事忙，今天为这家礼忏，明天为那家做功德，有的寺院，天天以佛事为唯一事业；出家人主要事业，放弃不管，这难怪佛教要衰败了，所以忏悔主要是自己，如果自己真真切切的忏悔，甚至是一小时的忏悔，也是超过请了许多人，作几天佛事的功德，了解这个道理，如对父母要尽儿女的孝心，那么为自己父母礼忏的功德很大。因为血缘相通，关系密切的缘故。不要把礼忏，做功德，当做出家人的职业，这不但毫无好处，只有增加世俗的毁谤与误会。

（三）“课诵”。学佛的人，在早晚诵经念佛，在佛教里面叫课诵。基督教早晚及饮食时候有祷告，天主教徒早晚也要诵经。这种宗教行仪，本来没有什么问题，不过为了这件事情，有几位问我，不学佛还好，一学佛问题就大了，我的母亲早上晚上一做功课，就要一两个钟头，如学佛的都这样，家里的事情简直没有办法推动了。在一部分的居士间，确有这种情形，使人误会佛教为老年有闲的佛教，非一般人所宜学，其实，早晚课诵，并不是一定诵什么经，念什么佛，也不一定诵持多久，可以随心所欲依实际情形而定时间，主要的须称念三皈依，十愿也是重要的。日本从中国传去的佛教、净土宗、天台宗、密宗等都各有自宗的功课，简要而不费多少时间，这还是唐、宋时代的佛教情况，我们中国近代的课诵，（1）是丛林所用的，丛林住了几百人，集合一次就须费好长时间，为适应这特殊环境所以课诵较长。（2）元、明以来佛教趋向混合，于是编集的课诵仪规，具备各种内容，适合不同宗派的修学。其实在家居士，不一定要如此。从前印度大乘行人，每天六次行五悔法，时间短些不要紧，次数不妨增多，终之学佛，不只是念诵仪规，在家学佛，绝不可因功课繁长而影响家庭的工作。

（四）“烧纸”。古代中国祭祖时有焚帛风俗，烧一点绸缎，给祖先享用。后来为了简省就改用纸来代替，到后代做成钱，元宝钞票，甚至于扎房子、汽车来焚化，这些都是古代传来的风俗习惯演变而成，不是佛教里面所有的。

这些事情，也有一点好处，就是做儿女的对父母表示一点孝意。自己饮食，想到父母祖先，自己住屋穿衣，想到祖先，不忘记父祖的恩德，有慎终追远的意义。佛教传来中国，适应中国，方便地与念经礼佛合在一起，但是在儒家“送死为大事”及“厚葬”的风气下，不免铺张浪费，烧得越多越好，这才引起近代人士的批评，而佛教也被认为迷信浪费了。佛教徒明白这个意义，最好不要烧纸箔等，佛教里并没有这些。

如果为了要纪念先人，象征地少烧一点，不要拿到寺庙里去烧，免得佛教为我们受罪。

（五）“抽签，问卜扶乩”。有些佛寺中，有抽签、问卜甚至有扶乩等举动，引起社会的讥嫌，指为迷信。其实纯正的佛教，不容许此种行为（有没有效验，是另外一件事），真正学佛的，只相信因果。如果过去及现在作有恶业，绝没有趋吉避凶的方法可以避免。修善得善果，作恶将来避不了恶报，要得到善的果报，就得多做有功德的事情。佛弟子只知道多做善事，一切事情，如法合理的做去，绝不使用投机取巧的下劣作风。这几样都与佛教无关，佛弟子真的信仰佛教，应绝对避免这些低级的宗教行为。

四　由于佛教现况而来的误解

一般中国人，不明了佛教，不明了佛教国际的情形，专以中国佛教的现况，随便批评佛教。下面便是常听到两种：

（一）“信仰佛教的国家就会衰亡”。他们以为印度是因信佛才亡国的，他们要求中国富强，于是武断地认为不能信仰佛教，其实这是完全错误的，研究过佛教历史的都知道，过去印度最强盛时代，便是佛教最兴盛时代，那时候，孔雀王朝的阿育王统一印度，把佛教传播到全世界。后来婆罗门教复兴，摧残佛教，印度也就日见纷乱。当印度为回教及大英帝国灭亡时，佛教已经衰败甚至没有了。中国历史上，也有这种实例。现在称华侨为唐人、中国为唐山，就可见到中国唐朝国势的强盛，那个时候，恰是佛教最兴盛的时代，唐武宗破坏佛教，也就是唐代衰落了。唐以后，宋太祖、太宗、真宗、仁宗都崇信佛教，也就是宋朝兴盛的时期。明太祖本身是出过家的，太宗也非常信佛，不都是政治修明、国力隆盛的时代吗！日本现在虽然失败了，但在明治维新之后挤入世界强国之列，他们大都是信奉佛教的，信佛谁说能使国家衰弱？所以从历史看来国势强盛时代正是佛教兴盛的时代。为什么希望现代的中国富强，而反对提倡佛教呢！

（二）“佛教对社会没有益处”。近代中国人士，看到天主教、基督教办有学校医院等，而佛教少有举办，就认为佛教是消极的，不做有利社会的事业，与社会无益。这是错误的论调，最多只能说，近代中国佛教徒不努力，不尽责，绝不是佛教要我们不做。过去的中国佛教，也办有慈善事业，现代的日本佛教徒，办大学、中学等很多，出家人也多有任大学与中学的校长与教授，慈善事业，也由寺院僧众来主办。特别在锡兰、缅甸、泰国的佛教徒，都能与教育保持密切的关系，兼办慈善事业。所以不能说佛教不能给予社会以实利，而只能说中国佛教徒没有尽了佛弟子的责任，应该多从这方面努力，才会更合乎佛教救世的本意，使佛教发达起来。

中国一般人士，对于佛教的误解还多得很，今天所说的，是比较普遍的，希望大家知道了这些意义，做一个有纯正信仰的佛教徒，至少也能够清除一下对佛教的误会，使纯正佛教的本意发扬出来。否则看来信仰佛教极其虔诚，而实包含了种种错误，信得似是而非，这也难怪社会的讥嫌了。

泉州开元慈儿院讲录

戊寅二月吴栖霞记

我到闽南，已有十年，来到贵院，也有好几回，一回到院，都觉得有一番进步，这是使我很喜欢的。贵院各种课程，都有可观，其最使我满意赞叹的，就是早晚两堂课诵。古语道：人身难得，佛法难闻。诸生倘非夙有善根，怎得来这里读书，又复得闻佛法哩！今这样，真是好极了。诸生得这难得机缘，应各各起欢喜心。深自庆幸才是。

我今讲本师释迦牟尼佛在因地中为法舍身几段故事给诸位听，现在先引涅槃经一段来说。释迦牟尼佛在无量劫前，当无佛法时代，曾作婆罗门，这位婆罗门，品格清高，与众不同，发心访求佛法。那时忉利天王在天宫瞧见，要试此婆罗门，有无真心，化为罗刹鬼。状极凶恶，来与婆罗门说法，但是仅说半偈（印度古代的习惯以四句为一偈）。婆罗门听了罗刹鬼所说的半偈很喜欢，要求罗刹再说后半偈。罗刹不肯。婆罗门力求，罗刹便向婆罗门道："你要我说后半偈，也可以，你应把身上的血给我饮，身上的肉给我吃，才可许你。"婆罗门为求法故，即时答应道："我甚愿将我身上的血肉给你。"罗刹以婆罗门既然诚恳地允许，便把后半偈说给他听。婆罗门得闻了后半偈，真觉心满意足，不特自己欢喜，并且把这偈书写在各处，遍传到人间去。婆罗门在各处树木山岩上书写此四句偈后，为维持信用，便想应如何把自己血肉给罗刹吃呢？他就要跑上一棵很高很高的树上。跳跃下来，自谓可以丧了身命，便将血肉给罗刹吃。罗刹那时，看婆罗门不惜身命求法，心中十分感动，当婆罗门在高处舍身跃下，未坠地时，罗刹便现了天王的原形把他接住，这婆罗门因得不死。罗刹原系忉利天王所化，欲试试婆罗门的，今见婆罗门求法如此诚恳，自然是十分欢喜赞叹。若在婆罗门因志求无上正法，虽弃舍身命亦何所顾惜呢！刚才所说：婆罗门如此求法困难，不惜身命。诸位现在不要舍身，而很容易的得闻佛法，真是大可庆幸呀！

还有一段故事，也是《涅槃经》上说。过去无量劫时候，释迦牟尼佛，为一很穷困的人，当时有佛出世，见人皆先供养佛然后求法，己则贫穷无钱可供，他心生一计，愿以身卖钱来供佛，就到大街上去卖自己的身体。当在大街上喊卖身时，恰巧遇一病人，医生叫他每日应吃三两人肉，那病人看见有人卖身，便十分欢喜，因向贫人说：“你每日给我三两人肉吃，我可以给你五枚金钱。”这位穷人，听了这话，与那病人商洽说：你先把五枚金钱拿来，我去买东西供养佛，求闻佛法，然后每日把我身上的肉割下给你吃。”当时病人应允，即先付金钱。这穷人供佛闻法已毕，即天天以刀割身上的三两肉给病人吃，吃到一个月，病才痊愈。当穷人每天割肉的时候，他常常念佛所说的偈，精神完全贯注在法的方面，竟如没有痛苦，而且不久他的身体也就平复无恙了。这穷人因求法之故，发心做难行的苦行有如此勇猛。诸生现今在这院里求学，早晚皆得闻佛法，不但每日无须割去若干肉，而且有衣穿，有饭吃，这岂不是很难得的好机缘吗？

再讲一段故事，出于《贤愚经》。释迦牟尼佛在因地时候，有一次身为国王，因厌恶终其身居于国王位，没有什么好处，遂发心求闻佛法。当时来了一位婆罗门，对这国王说：“王要闻法，可能把身体挖一千个孔，点一千盏灯来供养佛门吗？若能如此，便可为你说法。”那国王听婆罗门这句话，便慨然对他说：“这有何难，为要闻法，情愿舍此身命，但我现有些少国事未了，容我七天，把这国事交下著落，便就实行。”到第七天，国事办完，王便欲在身上挖千个孔，点千盏灯，那时全国人民知道此事，都来劝阻。谓大王身为全国人民所依靠，今若这样牺牲，全国人民将何所赖呢？国王说：“现在你们依靠我，我为你们做依靠，不过是暂时，是靠不住的，我今求得佛法，将来成佛，当先度化你们，可为你们永远的依靠，岂不更好，请大家放心，切勿劝阻。”那时国王马上就实行起来。呼左右将身上挖了一千孔，把油盛好，灯心安好，欣然对婆罗门说：“请先说法，然后点灯。”婆罗门答应，就为他说法。国王听了，无限的满足，便把身上的一千盏灯，齐点起来。那时万众惊骇呼号。国王乃发大誓愿道：“我为求法，来舍身命，愿我闻法以后，早成佛道，以大智慧光普照一切众生。”这声音一发，天地都震动了，灯光晃耀之下，诸天现前，即问国王：“你身体如此痛苦，你心里也后悔吗？”国王答：“绝不后悔。”后来国王复向空中发誓言："我这至诚求法之心，果能永久不悔，愿我此身体即刻回复原状。"话说未已，至诚所感，果然身上千个火孔，悉皆平复，并无些少创痕。刚才所说，闻法有如此艰难，诸生现在闻法则十分容易，岂不是诸生有大幸福吗！自今以后，应该发勇猛精进心，勤加修习才是！

以前我曾居住开元寺好几次，即住在贵院的后面，早晚闻诸生念佛念经很如法，音声亦甚好听，每站在房门外听得高兴。因各种课程固好，然其他学校也是有的，独此早晚二堂课诵，是其他学校所无，而贵院所独有的，此皆是贵院诸职教员善于教导，和你们诸位努力，才有这十分美满的成绩。我希望贵院，今后能够继续精进努力不断地进步，规模益扩大，为全国慈儿院模范，这是我最后殷勤的希望。

万寿岩念佛堂开堂演词

甲戌八月

今日万寿禅寺念佛堂开堂，余得参末席，深为荣幸。近十数年来，闽南佛法日益隆盛，但念佛堂尚未建立，悉皆引为憾事。今由本寺住持本妙法师发愿创建，开闽南风气之先。大众欢喜，叹为希有。本妙法师英年好学，亲近兴慈法主讲席已历多载。于天台教义及净土法门悉能贯通。故今本其所学，建念佛堂弘扬净土。可谓法门之龙象，僧中之芬陀矣。

今念佛堂既已成立，而欲如法进行，维持永久，胥赖护法诸居士有以匡辅而助理之。

考江浙念佛堂规则，约分二端。一为长年念佛，二为临时念佛。

长年念佛者，斋主供设延生或荐亡牌位，堂中住僧数人乃至数十人，每日念佛数次。

临时念佛者，斋主或因寿诞或因保病或因荐亡，临时念佛一日，乃至多日，此即是水陆经忏之变相。

以上二端中，长年念佛尚易实行。因规模大小可以随时变通，勉力支持犹可为也。若临时念佛，实行至为困难。因旧日习惯，惟尚做水陆诵经拜忏放焰口等。今遽废此习惯，改为念佛，非易事也。

印光老法师文钞中，屡言念佛胜于水陆经忏等。今略引之。与徐蔚如书云：

> 至于七中，及一切时，一切事，俱宜以念佛为主。何但丧期。以现今僧多懒惰。诵经则不会者多。而又其快如流，会而不熟亦不能随念。纵有数十人，念者无几。惟念佛则除非不发心，决无不能念之弊。又纵不肯念，一句佛号入耳经心，亦自利益不浅，此余决不提倡作余道场之所以也。

又复黄涵之书，数通中，皆言及此。文云：

> 至于保病荐亡，今人率以诵经拜忏做水陆为事。余与知友言，皆令念

佛。以念佛利益，多于诵经拜忏做水陆多多矣。何以故？诵经则不识字者不能诵，即识字而快如流水，稍钝之口舌亦不能诵，懒人虽能亦不肯诵，则成有名无实矣。拜忏做水陆亦可例推。念佛则无一人不能念者，即懒人不肯念，而大家一口同音念，彼不塞其耳，则一句佛号固已历历明明灌于心中，虽不念与念亦无异也。如染香人，身有香气，非特欲香，有不期然而然者，为亲眷保安荐亡者皆不可不知。又云：至于做佛事，不必念经拜忏做水陆，以此等事，皆属场面，宜专一念佛，俾令郎等亦始终随之而念，女眷则各于自室念之，不宜附于僧位之末。如是则不但尊夫人令眷实获其益，即念佛之僧并一切见闻无不获益也。凡作佛事，主人若肯临坛，则僧自发实心，倘主人以此为具文，则僧亦以此为具文矣。又云：做佛事一事，余前已详言之，祈勿徇俗徒作虚套，若念四十九天佛，较诵经之利益多多矣。

又复周孟由昆弟书云：

做佛事，只可念佛，勿做别佛事，并令全家通皆恳切念佛，则于汝母，于汝等诸眷属及亲戚朋友，皆有实益。又云：请僧念七七佛甚好。念时，汝兄弟必须有人随之同念。

统观以上印光老法师之言，于念佛则尽力提倡，于做水陆诵经拜忏放焰口等，则云决不提倡。又云念佛利益多于诵经拜忏做水陆多多矣。又云诵经拜忏做水陆有名无实。又云念经拜忏做水陆等事皆属场面。又云徒作虚套。老法师悲心深切，再三告诫，智者闻之，详为审察，当知何去何从矣。厦门泉州诸居士，归依印光老法师者甚众。惟望懔遵师训，努力劝导诸亲友等，自今以后，决定废止拜忏诵经做水陆等，一概改为念佛。若能如此实行，不惟闽南各寺念佛堂可以维持永久，而闽南诸邑人士信仰净土法门者日众，往生西方者日多，则皆现前诸居士劝导之功德也。幸各勉旃！

青年佛徒应注意的四项

丙子正月开学日在南普陀寺佛教养正院讲

养正院从开办到现在，已是一年多了。外面的名誉很好，这因为由瑞金法师主办，又得各位法师热心爱护，所以能有这样的成绩。

我这次到厦门，得来这里参观，心里非常欢喜。各方面的布置都很完美，就是地上也扫得干干净净的，这样，在别的地方，很不容易看到。

我在泉州草庵大病的时候，承诸位写一封信来，——各人都签了名，慰问我的病状；并且又承诸位念佛七天，代我忏悔，还有像这样别的事，都使我感激万分！

再过几个月，我就要到鼓浪屿日光岩去方便闭关了。时期大约颇长久，怕不能时时会到，所以特地发心来和诸位叙谈叙谈。

今天所要和诸位谈的，共有四项：一是惜福，二是习劳，三是持戒，四是自尊，都是青年佛徒应该注意的。

一　惜福

“惜”是爱惜，“福”是福气。就是我们纵有福气，也要加以爱惜，切不可把它浪费。诸位要晓得，末法时代，人的福气是很微薄的；若不爱惜，将这很薄的福享尽了，就要受莫大的痛苦。古人所说“乐极生悲”，就是这意思啊！我记得从前小孩子的时候，我父亲请人写了一副大对联，是清朝刘文定公的句子，高高地挂在大厅的抱柱上，上联是“惜食，惜衣，非为惜财缘惜福”。我底哥哥时常教我念这句子，我念熟了，以后凡是临到穿衣或是饮食的当儿，我都十分注意，就是一粒米饭，也不敢随意糟掉；而且我母亲也常常教我，身上穿的衣服，当时时小心，不可损坏或污染。这因为母亲和哥哥怕我不爱惜衣食，损失福报，以致短命而死，所以常常这样叮嘱著。

诸位可晓得，我五岁的时候，父亲就不在世了！七岁我练习写字，拿整张的纸瞎写，一点不知爱惜，我母亲看到，就正颜厉色地说：“孩子！你要知道呀！你父亲在世时，莫说这样大的整张的纸不肯糟蹋，就连寸把长的纸条，也不肯随便丢掉哩！”母亲这话，也是惜福的意思啊！

我因为有这样的家庭教育，深深地印在脑里，后来年纪大了，也没一时不爱惜衣食；就是出家以后，一直到现在，也还保守著这样的习惯。诸位请看我脚上穿的一双黄鞋子，还是民国九年在杭州时候，一位打念佛七的出家人送给我的。又诸位有空，可以到我房间里来看看，我的棉被面子，还是出家以前所用的；又有一把洋伞，也是民国初年买的。这些东西，即使有破烂的地方，请人用针线缝缝，仍旧同新的一样了。简直可尽我形寿受用著哩！不过，我所穿的小衫裤和罗汉草鞋一类的东西，却须五六年一换。除此以外，一切衣物，大都是在家时候或是初出家时候制的。

从前常有人送我好的衣服或别的珍贵之物，但我大半都转送别人。因为我知道我的福薄，好的东西是没有胆量受用的。又如吃东西，只生病时候吃一些好的，除此以外，从不敢随便乱买好的东西吃。

惜福并不是我一个人的主张，就是净土宗大德印光老法师也是这样，有人送他白木耳等补品，他自己总不愿意吃，转送到观宗寺去供养谛闲法师。别人问他："法师！你为甚么不吃好的补品？"他说："我福气很薄，不堪消受。"

他老人家——印光法师，性情刚直，平常对人只问理之当不当，情面是不顾的。前几年有一位皈依弟子，是鼓浪屿有名的居士，去看望他，和他一道吃饭，这位居士先吃好，老法师见他碗里剩落了一两粒米饭；于是就很不客气地大声呵斥道："你有多大福气，可以这样随便糟蹋饭粒！你得把它吃光！"

诸位！以上所说的话，句句都要牢记！要晓得，我们即使有十分福气，也只好享受二三分，所余的可以留到以后去享受。诸位或者能发大心，愿以我的福气，布施一切众生，共同享受，那更好了。

二　习劳

"习"是练习，"劳"是劳动。现在讲讲习劳的事情：

诸位请看看自己的身体，上有两手，下有两脚，这原为劳动而生的。若不将他运用习劳，不但有负两手两脚，就是对于身体也一定有害无益的。换句话说，若常常劳动，身体必定康健。而且我们要晓得：劳动原是人类本分上的事，不唯我们寻常出家人要练习劳动，即使到了佛的地位，也要常常劳动才行！现在我且讲讲佛的劳动的故事：

所谓佛，就是释迦牟尼佛。在平常人想起来，佛在世时，总以为同现在的方丈和尚一样，有衣钵师、侍者师、常常侍候著，佛自己不必做甚么；但是不然，有一天，佛看地下不很清洁，自己就拿起扫帚来扫地，许多大弟子见了，也过来帮扫，不一时，把地扫得十分清洁。佛看到了欢喜，随即到讲堂里去说法，说道："若人扫地，能得五种功德。……"

又有一个时候，佛和阿难出外游行，在路上碰到一个喝醉了酒的弟子，已醉得不省人事了；佛就命阿难抬脚，自己抬头，一直抬到井边，用桶汲水，叫阿难把他洗濯干净。

有一天，佛看到门前木头做的横楣坏了，自己动手去修补。

有一次，一个弟子生了病，没有人照应，佛就问他说："你生了病，为什么没人照应你？"那弟子说："从前人家有病，我不曾发心去照应他；现在我有病，所以人家也不来照应我了。"佛听了这话，就说："人家不来照应你，就由我来照应你吧！"就将那病弟子大小便种种污秽，洗濯得干干净净；并且还将他的床铺，理得清清楚楚，然后扶他上床。由此可见，佛是怎样的习劳了。佛决不像现在的人，凡事都要人家服劳，自己坐着享福。这些事实，出于经律，并不是凭空说说的。

现在我再说两桩事情，给大家听听：《弥陀经》中载著的一位大弟子——阿㝹楼陀，他双目失明，不能料理自己，佛就替他裁衣服，还叫别的弟子一道帮着做。

有一次，佛看到一位老年比丘眼睛花了，要穿针缝衣，无奈眼睛看不清楚，嘴里叫著："谁能替我穿针呀！"佛听了立刻答应说："我来替你穿。"

以上所举的例，都足证明佛是常常劳动的。我盼望诸位，也当以佛为模范，凡事自己动手去做，不可依赖别人。

三 持戒

“持戒”二字的意义，我想诸位总是明白的吧！我们不说修到菩萨或佛的地位，就是想来生再做人，最低的限度，也要能持五戒。可惜现在受戒的人虽多，只是挂个名而已，切切实实能持戒的却很少。要知道，受戒之后，若不持戒，所犯的罪，比不受戒的人要加倍的大，所以我时常劝人不要随便受戒。至于现在一般传戒的情形，看了真痛心，我实在说也不忍说了！我想最好还是随自己的力量去受戒，万不可敷衍门面，自寻苦恼。

戒中最重要的，不用说是杀、盗、淫、妄，此外还有饮酒、食肉，也易惹人讥嫌。至于吃烟，在律中虽无明文，但在我国习惯上，也很容易受人讥嫌的，总以不吃为是。

四 自尊

“尊”是尊重，“自尊”就是自己尊重自己，可是人都喜欢人家尊重我，而不知我自己尊重自己；不知道要想人家尊重自己，必须我自己尊重自己做起。怎样尊重自己呢？就是自己时时想著：我当做一个伟大的人，做一个了不起的人。比如我们想做一位清净的高僧吧，就拿《高僧传》来读，看他们怎样行，我也怎样行，所谓：“彼既丈夫我亦尔。”又比方我想将来做一位大菩萨，那末，就当依经中所载的菩萨行，随力行去。这就是自尊。但自尊与贡高不同，贡高是妄自尊大，目空一切的胡乱行为；自尊是自己增进自己的德业，其中并没有一丝一毫看不起人的意思的。

诸位万万不可以为自己是一个小孩子，是一个小和尚，一切不妨随便些；也不可说我是一个平常的出家人，那里敢希望做高僧、做大菩萨。凡事全在自己做去，能有高尚的志向，没有做不到的。

诸位如果作这样想：我是不敢希望做高僧、做大菩萨的，那做事就随随便便，甚至自暴自弃，走到堕落的路上去了，那不是很危险的么？诸位应当知道，年纪虽然小，志气却不可不高啊！

我还有一句话，要向大家说，我们现在依佛出家，所处的地位是非常尊贵的，就以剃发、披袈裟的形式而论，也是人天师表，国王和诸天人来礼拜，我们都可端坐而受。你们知道这道理么？自今以后，就当尊重自己万万不可随便了。

以上四项，是出家人最当注意的，别的我也不多说了。我不久就要闭关，不能和诸位时常在一块儿谈话，这是很抱歉的。但我还想在关内讲讲律，每星期约讲三四次，诸位碰到例假，不妨来听听！

今天得和诸位见面，我非常高兴。我只希望诸位把我所讲的四项，牢记在心，作为永久的纪念！

时间讲得很久了，费诸位的神，抱歉！抱歉！

劝念佛菩萨求生西方[①]

近印光法师尝云："飞机炸弹大炮常常有，当此时应精进念佛菩萨名号。不应死者，可消灾免难；若定业不可转——应被难命终者，即可因此生西方。"

以上法师之言，今略申说其意：

念佛（阿弥陀佛），常人惟知生西，但现生亦有利益。

古德尝依经论之义，谓念佛有十大利益（念观世音名号，常人皆知现生获益），故念佛菩萨可避飞机炸弹大炮，亦决定无疑！

常人见飞机来惟知惧，空怕何益？入地洞上山亦无益，惟有诚心念佛菩萨。于十分危险时，念佛菩萨必恳切，容易获感应。若欲免难，惟有勤念佛菩萨——危险时须念，平日亦须念。因平日勤念，危险时更得力。

业有二种，以上且约不定业言。倘定业不可转必须被难命终者，虽为弹炮所伤，亦决定生西。

常人惟知善终（即因病）乃生西，但为弹炮所伤亦可生[②]。因念佛菩萨诚，佛菩萨必来接引，无痛苦生西。须知生西后无苦但乐——衣食自然，居处美丽，常见佛菩萨闻法，乃最好之事。故被伤生西，可谓因祸得福。

无论何人，皆应求生西方。即现在不应死者，暂免灾难，亦不能永久安乐。

娑婆苦。今生尚轻，前几生更苦；此次苦尚轻，以后更苦。故欲十分安全，不可专顾目前暂时，必须放开远大眼光求生西方也。

若约通途教义言，应观我身、人、身、山河、大地等皆虚妄不实，飞机、炸弹、大炮等亦当然空无所有。如常人所诵之《心经》、《金刚经》等皆明此义。

《心经》云："照见五蕴皆空，度一切苦厄。"

《金刚经》云："一切有为法，如梦幻泡影，如露亦如电，应作如是观。"

---

① 本文系弘一大师一九三八年冬于泉州开元寺所作的讲演。

② 生：即"生西"之意。

若再详言，应分为空假中三观，复有次第一心之别。但吾人仅可解其义，若依此修观则至困难，即勉强修之，遇境亦不得力。故印光法师劝人专修净土法门也。因此法门易解，人人皆可实行。

故劝诸君须深信《净土法门》，又须于印光法师前所说者，深信不疑，安心念佛菩萨名号，不必忧惧也。

此次与日本抗战，他处皆多少受损害，惟泉州安然，此是诸君念佛诵经之力，故能免一时之危险。但后患方长，不可安心，必须精进念佛菩萨，俾今生命终时，决定生西。乃是十分安全之道也。

略说劝念佛菩萨求生西方，至要至要！

李叔同作品精选 · 梦花情真

李先生的放弃教育与艺术而修佛法，好比出于幽谷，迁于乔木，不是可惜的，正是可庆的。

——丰子恺

致印心、宝善和尚

印心、宝善大和尚座下：

拜别慈颜，忽忽三月。音等来此，习静念佛，谢绝人事，四大亦粗调适。今岁寒暑不时，比忽暴热。遥忆法座，辄致书问讯，起居安隐。不具。

后学　演音、演义稽首　六月初八日

清月大和尚，乞为问安。

灵峰、圆湛大和尚，便中乞为问安。

（1921 年）

致李圆净

圆净居士再览：

仁者致常师书，诵悉一一。承询之事，其一册，为《行事钞》中一部分之科表，唯录旧科而已；其一册，为《行事钞持犯方轨表解》之初稿。若欲出版，尚须精校重为编订。朽人近来对于自己之著作，不愿轻易出版者，（一）因以凡夫情见僭为编述者，恐未能契理契机。必须先生西方，回入娑婆，乃可负荷弘法之重任；（二）因律学专门之撰述，出版之后，无人能读，难于流通。昔蔚如居士刻《南山律书》近百余卷，除赠送之外，罕闻有人出资请购者。即赠送与人，读者亦希，仅藏置高阁耳。且如朽人近编之《南山律在家备览略编》，因普被在家人故，将来出版之后，慕名而请购者，或尚有一二百人。若真能披读而研习了解其义者，或亦仅有仁者及古农、幼希数居士耳。近来目疾增剧，抄录《备览》仅及一半，约五十余页。尚有一半，未抄录。谨复，不具。

音启五月十二日

附一纸，乞于便中交夏居士为感！此次书写《备览》稿，颇为用心。每写一页，须一小时以上乃至两小时。附呈废稿《十善法》一纸。

（一九三九年）

致仁开法师

仁开法师道鉴：

前承过谈，惠施多品，感谢无尽！荷施十金，拟以请购日本古版佛书，而为永久纪念也。承示诸事，朽人已详细思审，至为惭惶。朽人初出家时，常读灵峰诸书，于“不可轻举妄动，贻羞法门”、“人之患在好为人师”等语，服膺不忘。岂料此次到南闽后，遂尔失足，妄踞师位，自命知律，轻评时弊，专说人非。大言不惭，罔知自省。去冬大病，实为良药。但病后精力乍盛，又复妄想冒充善知识。卒以障缘重重，遂即中止。至古浪后，境缘愈困，烦恼愈增。因以种种方便，努力对治。幸承三宝慈力加被，终获安稳。但经此风霜磨炼，遂得天良发现，生大惭愧。追念往非，噬脐无及。决定先将“老法师”、“法师”、“大师”、“律师”等诸尊号，一概取消。以后誓不敢做冒牌交易。且退而修德，闭门思过。并拟将《南山三大部》重标点一次，誓以努力随分研习。倘天假之年，成就此愿。数载之后，或以一得之愚，卑陬下座，与仁等共相商榷也。前承仁等所示诸事，今非其时，愿俟异日。诸希谅察为幸！谨陈，不宣。

演音

此书本拟请传贯师赍奉。适今日有便人，托其带奉。朽人当来居处，无有定所。犹如落叶，一任业风漂泊可耳。

（1936 年 7 月，鼓浪屿日光岩）

致律华法师

一

妙斋法师鉴

先念“南无阿弥陀佛”十句。手持供水及米粒，至出生台前。念云：以此供水及米粒，施与一切神鬼等众。唯愿是诸神鬼等众，早得人身，消除业障，往生极乐世界，速证无上菩提。并愿以此施食功德，普施有情，齐成佛道。又念“四生登于宝地”等四句，又念“南无阿弥陀佛”十句。毕。仁者施食，可依此行也。

音启

（1941年夏）

二

律华法师澄览

朽人与仁者多生有缘，故能长久同住，彼此均获利益。朽人对仁者之善根道念，十分钦佩。朽人抚心自问，实万分不及其一。故朽人与仁者，长久同住，能自获甚大之利益也。妙莲法师行持精勤，悲愿深切，为当代僧众中所罕见者，且如朽人心中敬彼如奉师长。但朽人在世之时，畏他人嫉妒疑议，不敢明言。今朽人已西归矣。心中尚有悬念者，以仁者年龄太幼，若非亲近老成有德之善知识，恐致退惰。故敢竭其愚诚，殷勤请于仁者。乞自今以后，与妙莲法师同住，且发尽形承侍之心，奉之如师，自称弟子；并乞彼时赐教诲，虽受恶辣之钳锤，亦应如饮甘露，万勿舍弃。至嘱！至嘱！

演音　弘一敬白

致徐耀廷

一

（一八九六年五月下旬，天津）

揖别鸿仪，瞬经数月。暮云春树，每切怀思。遥维耀廷我哥大人旅祺安善，福履绥和，为颂为慰。弟津门株守，碌碌如常。所幸顽体粗和，堪以告慰。绮注鱼鸿，得便尚希惠我好音，以匡不逮。是所至祷。专此敬请升安。余惟朗照不宣。

愚小弟涛顿

再王静波兄令堂已于前月逝世。赵虎臣令堂又于本月逝世。顺立纸局王杏林兄病势甚重，恐难痊愈。令亲陈荫棠兄令正亦于本月逝世。津店屋北邀同人一位姓戴名柏庵，系精济社戴禹令侄。此人腹内甚通，亦善写字。别无可报。又及。

二

（一八九六年六月十二日，天津）

耀廷五哥大人阁下：

前随津字第一号寄上信一函，谅已收到。五月初二日乃王静波兄令堂发引之期，已代阁下送呢幛一轴，奠仪一吊文。四月廿六日，赵虎臣令堂发引之期，桐兴茂同人公送锞子式旧褂，内阁下摊钱一百廿四文。再今有信，将各书院奖赏银，皆减去七成，归于洋务书院。照此形情，文章虽好，亦不足以制胜也。昨朱莲溪兄来舍，言有切时事，作诗一首云：

天子重红毛，洋文教尔曹。

万般皆上品，惟有读书糟！

此四句诗，可发一笑。弟拟过五月节以后，邀张墨林兄内侄杨兄，教弟念算学，学洋文。别无可报。专此达知，敬请旅安。不一。

愚小弟涛顿

三

（一八九六年六月二十五日，天津）

耀廷五哥大人阁下：

前随信寄上要件一函，内言种种，谅必早登台阅。昨顺立纸局王杏林兄，经顾正垒治，用洋药，每日必须吸五六钱，至今已痊愈。烟犹日日必吸。唐静岩兄，日昨遣轿夫与弟送册页来。敬览之余，实可喜也。十二日乃关帝会，弟往柴少文处看会。经柴少文送弟鸡心红图章一个，有此样大小（此是图章样子。）刻“饮虹楼”三字。惜是灰地，而亦属不错。

弟昨又刻图章数块，外纸一片上印着，谨呈台阅，祈指正是盼。再有弟近日镌得篆书隶书仿二篇，并呈台阅，亦祈指正是盼。

五月初二日，弟又添侄女一个，甚为可喜可贺也。按时下津门天气不正，凉热不时，得时症者甚多，得瘟症者亦不少。别无可报。以后如再有时事，定必达知。吾兄无庸挂念。专此敬清旅安。不一。

愚小弟涛顿

外仿二张，图章纸一张并呈。

丙申五月十五日泐

四

（一八九六年七月十四日至十九日，天津）

前随津号信寄上信一件，内并有烦画宣册二片，谅必早登台阅矣。谨将近日新闻开列于左，以供阁下阅览。并请耀廷五哥大人旅安，不另。

如小弟涛顿　六月初四日泐

六月十一日乃沈楚香兄发引之期，预于初十日开吊。冯作舟令正前曾得瘟病，今此经已痊愈。昨杏田兄因偶受风寒回家，即成疟疾甚重，已发十数场，至今并未痊愈。昨将德聚诚折帐镜子找出来，拟众同人每位出钱四元，分廿彩。众人摇彩，赵新言得头彩，康竹林得二彩，郑彤勋得三彩。皆得大镜子数个，余者得小镜子二个，现在厅房漫地。按津门连日阴雨，时气不正。弟昨另镌图章数枚，印一纸上，谨呈台阅，并希指谬。别无可报，此上。

六月初六日灯下

再，前言顺立纸局王杏林兄病势已好，奈何于本月初八日，因气吐血数口，已于未时逝世，实可惜也。初九接到信一件，已经捧读，敬悉一切。兹闻冯作舟兄令正病势已好，奈何冯作舟兄数日前偶得瘟疾，至今甚重，特此达知。

叔桐又及　六月初九日

五

（一八九六年七月二十五日，天津）

耀廷五仁哥大人阁下：

前随信寄上信一件，并有耳封内有等事，谅必早登台阅矣。兹将近日新闻开列于左，敬呈台览。

本月十二日晚九点钟，津门地动，甚属可怕。十一日晚八点钟，弟舍甥女赵钦省令正逝世。又，十三日晚徐润泉兄偶染时症至十一点钟，亦经逝世。按今年死人过多，甚属可惨，亦属可畏。十二日午后大雨一阵。十三日午后又大雨，至本日早方住。按十三日夜间下雨时，又加以大风，甚是寒凉，至本日午晴天后又甚炎热。若此忽凉忽热，人实在受病不浅。弟未知东口地方时气如何，亦祈示知为要。专此达知。敬请旅安。余惟朗照不宣。

弟涛顿　六月十五日泐

再，令三嫂朗斋兄令正，于前日偶染吐泻，至今日已早经痊愈。按此信诸同仁大约不敢与阁下去（信），恐阁下挂念。弟因至今已好，与阁下去信亦无妨。又及。

张杏田兄已于本月十七日午后到。疾风湿已痊愈也。祈无容挂念。

六

（一八九六年七月二十八日，天津）

不奉清谈，瞬经数月。望风怀想，能不依依。逢维耀廷我仁哥大人旅祺。宏集荣业维新，定如鄙祝。敬启者，昨随津号信寄上信一函，内有篆隶仿一张，图章条一张。并有笺墨仿致函，谅必早登台阅矣。

谨将近日新闻开列于左，谨登玉览。

现在六月十八日，水梯子同事会，弟拟出灯谜烦津店中新邀同事戴柏庵兄抄写。今年五月间，天气甚勤，每日必下雨，一日大小不等，河里长水不少，已平漕。弟昨又刻图（章）数（枚），外有纸条一张呈阅，祈指谬，是幸。外并有笺墨仿致函一件，并呈清览。别无可报。阁下在外如有何事，亦祈赐回音，为祷。专此敬询大安。余惟弘照不备。

如小弟涛顿

七

（一八九六年八月十日，天津）

前随津字第十一号信寄上信一件，并有耳封，谅必早登台阅矣。谨将近日新闻开列于左。

七月初一日，日食为亏，午初三刻复圆。未正初刻十三分，鄙闻日本海啸，伤民数百万众，以详见《直报》。按近日津地亦无多新闻。并有弟所镌石章数块，呈上祈哂正，幸幸。此颂耀哥旅安。不另。

弟李叔桐顿　七月初二日泐

外有笺墨仿致函，并呈台阅。

八

（一八九六年八月十三日后，天津）

揖别芝颜，瞬经数月，望风怀想，能不伤悲！试思数月前，同在柜房内相聚，至今日金风玉露，甚是凄凉耳。遥维耀廷我如哥仁大人起居纳福，旅祉安善，为慰。柜者，弟于七月初五日午后一点钟，接到华函，捧读之下，敬悉种种。谨将近日新闻开列于左，敬呈台览。

按津门由前月水势虽见长，仍未出漕。至本月初一日，下雨之后，居然出漕。初二日大雨，初三日微晴，初四日大雨，初五日小雨。至今日大口水，至三圣庵门口。东浮桥水至乾泰昌门口，两边皆有跳板。按天气至今日犹未晴明，水势有增无减。小盐店，挂甲寺，梁家嘴子，锦衣卫桥堤，此四处皆洞口也。弟家母浮厝材之处，其地较他地皆高丈余，至刻下已将坟头飘去，水有四尺多，连忙打桩钉上，尚属无碍。弟之老茔地，亦见水五六尺。此水势也。

另有新闻一段开列于左（下缺）。

九

（一八九六年八月二十日，天津）

前寄上六号信一函，谅必早登台阅。再前盐道使候选盐大使雷熙前往外店押服杨伯忱，奈雷熙在外店住至前月廿一日，而杨伯忱言行恶犹如是也。是以于廿一日回津，又经盐道使候选盐大使王瓒前往，至今王瓒犹患烟痢甚重，是以未得赴外店。至今外店无人，恐杨伯忱趁此必益加行恶也。再河水见消，天气已晴明数日。此次书信因甚忙乱，是以不能多叙。并有要紧之事，俟下次再得达知。此请旅安。

不另

弟涛顿　七月十二日泐

再，郑鹤田令堂于本月初一日逝世，择于今天办宿。又及。

十

（一八九六年八月二十三日，天津）

阁下在东口，有图章即买数十块。如无有，俟回津时路过京都，祈买来亦可。愈多愈好。并祈在京都买铁笔数枝。并有好篆隶帖，亦祈捎来数十部。价昂无碍，千万别忘！别无可报。敬候佳祺。余惟玉照不既。

如小弟涛顿　七月十五日泐

并有弟所镌章数枚并呈。

十一

（一八九六年八月二十九日，天津）

启者，前寄上第十号信一函，谅必早登台阅矣。谨将近日新闻开列于左呈览。

津门水势至今因连日晴明，是以平漕日见其落。张杏田前患疟疾，至今已愈月余。至昨日又因心中不畅，烦家兄看脉，云系暑热。从此回家，至今日未知好否，并未曾上铺。

弟昨又刻图章数块，奉上祈哂政，为幸。再并有猫部贺节信一函。王含墨令侄曾孙讣帖信一函，均祈收下为祷。别无可报。即请耀廷大五哥旅祺并贺节喜，不另。

愚如弟涛顿

再前托买图章并铁笔二事，千万别忘，又及。

附呈：贺节禧

耀翁五先生大人台下：

久睽芝颜，时深萦念。际此金风涤暑，玉露横秋，想必旅祺安善，福祉吉祥。为慰。鄙等碌碌如常，鱼鱼自守。肃笺敬贺节禧，只请

钧安。不一。

名正肃

十二

（一八九六年九月五日，天津）

前廿一日寄上第十一号信一函，并有猫部贺节、王含墨讣帖信二件。谅必早登台阅矣。谨将近日新闻列左。

张杏田病势已愈，于昨日已经上铺。祈无容挂念，为要。王含墨令侄曾孙之讣帖，想已收到，祈无容送礼，弟已代阁下送上呢幛一轴，纹银四两。伊将呢幛收下，将纹银璧回，并有谢帖一纸奉上，祈查收为要。再昨弟又刻图章数块，印在纸上，祈哂正，是幸。别无可报。此致耀照，并询大安。不另。

弟涛顿　七月廿八

十三

（一八九六年九月十一日，天津）

本月初四，接到第五号手示，均以捧读矣。谨将近日新闻列左。

前初三午后一点钟，大雷大雨间，又加以核桃大冰雹，甚属利害。至三点，雹雨俱止，而雷声犹然盈耳。至晚八点钟，雷声初息，而顷刻大雨倾盆。至今日早六点钟方止，居然云开雾散矣。按李鸿章兄至九月初间，可以来津。王文韶兄降三级留任。其间原故，不得其详。再弟闻阁下不日来津。如来时，路过都门，千万与弟捎铁笔数枝、古帖数部、图章数块。要紧要紧，别忘别忘，非此不可。弟昨又镌图章数块，印在纸上，呈览，祈哂政为要。别无可报。此请升安。余惟朗照不备。

如小弟涛顿　八月初五日泐

再，祈捎鼠牙刀一枝。又及。

十四

（一八九六年九月二十日，天津）

耀廷我五仁哥大人如见：

别来屈指，已度中秋，遥忆芝辉，曷胜盼想。前寄上第十三号信一函，谅必早登台阅。谨将近日新闻列左，以供赐览。

中秋色减

本月十四日晚，忽云光黯合，雷声隐隐。、顷刻大雨如注，至十五日早寅刻方止。一切卖瓜果者，未免减色矣。至巳刻云开雾散，红日东升，虽天气晴明乎而已，道路泥泞矣。

寒暖不均

津门自前月初旬甚热，至中下旬甚凉，至本月初旬又微暖，至今十四日雨后又甚凉。我辈皆宜穿夹袄夹坎肩之类，夜间皆用棉被两床方可，不然则恐泻腹矣。

持螯美趣

津门自月之初旬以来，螃蟹甚肥，至今日如钟口大者，制津蚨二文，价可谓廉之极矣。持螯酌酒，何乐如之，可谓美趣矣。

随缘杂记

弟兹又镌图章数块，奉上。祈嘉仲诸友用哂正为要。并有王含墨致函，祈自检收。别无可报。

专此敬候

升祺。

余维惠照不一。

弟涛顿　八月十八日泐

十五

（一八九六年九月二十八日，天津）

（正文缺）

再，本月廿二日乃王含墨寿诞，弟谨代阁下送去肉面酒烛点心，摹本寿幛。伊将点心幛子璧回，收下四色。外有谢帖、酬客帖并呈台览。外有钱帖二十文，并祈查收。

十六

（一八九六年，天津）

久未晤面，甚想。前闻阁下患腿疾，理宜到府问候；奈因事务匆匆，是以未克如愿。兹送上鲜货数色，区区微意，望祈察收。此请

耀廷我哥大人安

弟李下顿首

十七

（一八九六年，天津）

耀廷五哥大人足下：

梅雨翁虽身体健壮，奈年已七十余矣。梅小岩令正至今犹未出殡，俟梅雨翁回津，再行发引。噫，外店之事，岂一旦夕之功所可成哉！梅雨翁之回津，几无日矣，可胜叹哉！

兹有弟近日所刻图章数块，祈哂政为盼。此请旅安。不另。

如小弟李文涛顿首

十八

（一八九九年秋，上海）

耀廷五哥仁兄大人足下：

久违雅教，抱歉无地。近稔履祉安燕，阖第吉羊。定符鄙祝。呈去静岩先生册页五册，望哂收。想吾哥博雅好古，谅不至以之覆瓿也。今冬仍拟出《瓦研题辞》一书，印成当再奉鉴。印谱之事，工程繁琐，今年想又不能凑成矣。然至迟约在明春，当定出书。至于盖印图章一事，尤须寄津求执事代办。缘沪地实无其人。至其详细，俟斟酌妥善，当再奉闻。此颂

升祺

小弟惜霜拜白

此上两印皆弟近日新刻者。又启。

十九

（一九〇六年一月日本沼津）

沼津，日本东海道之名胜地。郊外多松柏，因名其地曰千本松原。有山耸于前，曰爱鹰山。岗中黄绿色为稻田之将熟者。田与山之间有白光一线，即海之一部分也。乙巳十一月用西洋水彩画法写生。奉月亭老哥大画伯一笑。

弟哀　时客日本

致海上同人

（一）

敬启者：

鄙人于十九日入学。如蒙诸君惠赐函件，如嫌寄徐家汇不便，请径交四马路一品香对过惠福里选报馆赵彝初先生收，转交可也。

李漱筒白

（原刊于上海《春江花月报》1901年8月20日（光绪二十七年七月初七日）。）

（二）

海上同人先生均鉴：

敬启者：鄙人于廿二日赴杭。行李匆匆，不及走别。抱歉实深，谨此布闻。伏乞。

鉴谅。

李漱筒再拜

（原刊于上海《春江花月报》1902年8月28日（光绪二十八年七月十七日）。）

致许幻园

一

（一九〇一年，上海）

云间谱兄大人经席：

奉上素纸三叠，望查收。是序明正作好不迟，付印须二月时也。命书之件，略迟报命。前见示佳著，盥诵再四，哀艳之思，溢于毫素，佩甚佩甚！暇当掇拾数什，奉和大雅。但珠玉在前，而瓦砾恐瞠乎其后耳。雨雪霁时，知己倘有余晷，请到敝寓一叙。临颖依依，曷胜眷眷。即请

大安

如小弟成蹊顿状

二

（一九〇三年十月二十一日，上海）

幻园老哥同谱大人左右：

别来将半载矣，比维起居万福，餐卫佳胜为颂。弟于前日由汴返沪，侧闻足下有返里之意，未识是否？秋风菁鲈，故乡之感，乌能已已；料理归装，计甚得也。小楼兄在南京甚得意，应三江师范学堂日文教习之选，束金颇丰。今秋亦应南闱乡试，闻二场甚佳，当可高攀巍科也。××兄已不在方言馆，终日花丛征逐，致迷不返，将来结局，正自可虑。专此，祗颂

行安！不尽欲言。

姻小弟广平顿　初二日

三

（一九〇六年十月十七日，日本东京）

幻园吾哥：

手书敬悉。教员束脩，前嘱家史汇申，不意至今尚未到著；今已致函催促，不日必可寄到。至零用一节，弟已函达子英君，请君与渠商酌可也。弟自入美术学校后，每日匆忙万状，久未通讯，祈亮之。前《国民新闻》（大隈伯主持）将弟之肖影并画稿登出，兹奉呈一纸，请哂纳，匆匆上。

姻如小弟哀顿　八月三十

附呈致施君一函，祈转交。

以后惠书请写交日本东京下谷区茶屋町一番地中村方李□□，因弟即日迁居也。

四

（一九一三年七月十六日，杭州）

幻园兄：

今日又呕血，诵范肯堂《落照》（绝命诗），云：“落照原能媲旭辉，车声人迹尽稀微。可怜步步为深黑，始信苍茫有不归！”通人亦作乞怜语，可哂也。家国困穷，百无聊赖，速了此残喘，亦大佳事；但祝神瓛去冬已为兄言，不吾欺也。社中近有何变动？乞示其详。适包君发行部来寓，弟气促声嘶，不暇细谈。代售杂志价洋已交来，当时弟未细算；顷始检查，似缺二圆二角有零。晤时便乞一询。

谱弟李息顿　七月十六日

五

（一九一三年，杭州）

幻园谱兄：

承惠金，至感。写件本当报命，奈弟近来大窘困，凡有写件，拟一律取润，乞转前途为幸。木印共十二颗，初六日刻好送下，至祷。

弟息顿首

致杨白民

一

（一九〇五年十一月三日，日本东京）

白民先生：

两奉手毕，并承惠笺纸，感谢感谢！

足下如愿到天津调查学务，弟即当作书绍介。彼邑学界程度，实在上海之上。去年设专门音乐研究所，生徒已逾二百，盛矣。

附呈一函，乞便交少屏朱先生。祗叩

学安

弟哀顿首　十月七日

二

（一九〇六年六月六日，日本东京）

白民先生：

嘱著之件，久不复命，至歉至歉！弟自正月负（?）神致衰弱症，不耐苦思。职是之故，未暇执笔为文。他日少瘥，当必有以报命也。亮之为幸。附寄上造像三幅：一赠君，其二乞转交朱少屏与叶颂藩两公。匆匆，不尽欲言。祗叩

大安

弟哀顿首　闰四月十五日

三

（一九〇六年十二月五日，日本东京）

白民先生：

前奉惠书，祗悉一一。学课匆忙，久未裁答，甚罪！尊恙如何？至念至念！兹附上绍介书一纸。足下如到天津，可持此书往谒。渠与仆金石交，必能为足下竭力周旋也。匆匆。祗叩

年安

弟哀顿首　阳历十二月五日

四

（一九〇七年一月二十三日，日本东京）

昨日归京，即日迁居他处。以后惠书，乞署日本东京下谷区清水町一番地越岛方李某。余事五日内详复。匆匆。

弟哀顿首　十二月十日

五

（一九〇七年三月二十三日，日本东京）

谨启：

屡承惠学报，课暇披诵，至为忻慰，敬谢！敬谢！嘱写之件，月内当寄奉左右。匆匆。

白民先生

弟哀顿首　中二月十日

六

（一九〇七年十月三日，日本东京）

白民先生足下：

东都重逢，欢聚浃旬。行李匆匆，倏忽言别，良用惘然。别来近状何似，学制粗具规模否？金工教师，如准延用，当为代谋，束金之数，以五七十金为限否？请即示复。

附呈致辑雯一书，乞转交。许子稚梅、黄子楚南，晤时乞为致相思。祇颂起居曼弗

哀再拜　八月廿六

近日东都酷热，温度在八十以上。

七

（一九一七年一月二十八至二十九日，杭州）

白民老哥：

日前出山，曾复一函，计达览否？

顷又奉到十六号寄来手书。屡承关注，感谢无似。前寄来琴书预约券、《理学小传》等，皆收到。因入山故，未能答复，为罪。

朴庵先生，乞为致谢。此复。即叩大安！

弟婴顿首

八

（一九一八年六月三十日，杭州）

白民老哥：

赠兄之阿弥陀佛直幅，乞收入。

又一小条乞交质平——孝先款。其余四包，乞依包面所写者与送之。

费神，至好，不言谢也。

弟婴顿首　五月廿二日

又，《类腋》及《楹联丛话》各一册，系前送上之书籍内所缺者，故补奉之。附致质平函，乞转交。弟定明晨入山。

致陆丹林

（一九一三年春，杭州）

丹林道兄左右：

昨午雨霁，与同学数人泛舟湖上。山色如娥，花光如颊。温风如酒，波纹如绫。才一举首，不觉目酣神醉。山容水态，何异当年袁石公游湖风味？惜从者栖迟岭海，未能共挹西湖清芬为怅耳。薄暮归寓，乘兴奏刀，连治七印。古朴浑厚，自审尚有是处。从者属作两钮，寄请法政。或可在红树室中与端州旧砚，曼生泥壶，结为清供良伴乎？著述之余，盼复数行，藉慰遐思！春寒，惟为道自爱，不宣。

岸白

致叶舟

一

（一九一四年）

品三先生足下：

日前走谒，不晤，至怅。师校学生近组织乐石社，研究印学，刻已有十六人。闻西泠印社开金石书画展览会，拟偕往观览，以扩眼界。苦无力购券，未识先生能特别许可入场否？（拟于今日下午来观）事属风雅，故敢渎求。祇叩

道安

鹄候回示，不庄。乐石社章程附呈上，乞政。

弟李息顿首

哀公传

当湖王布衣，旧姓李，入世三十四年。几易其名字四十余，其最著者，曰叔同、曰息霜、曰圹庐老人。富于雅趣，工书，嗜篆刻。少为纨绔子，中年丧母，病狂，居恒郁郁有所思。生谥哀公。

二

（一九一四年）

品三先生道席：

昨承招待，同人获饱览珍品，感谢千万。承允赐印人传及印学丛书样本，顷已代达同人，尤为铭感。希每种先惠赐二十部，交来役带下。印社展览会特别捐，弟曾任金一元，兹附呈上，乞登入，祇叩

教安。

弟李息顿首

三

（一九一五年九月三日）

叶舟社长足下：

昨到杭，俗事冗忙，不获走谒，为怅。呈上社友小传及第七集，乞正。第八集十日内可以竣事，必寄奉。第九集始由子渊社长主持，附闻。祇颂
大安

弟息顿首　九月三日

四

（一九一八年）

送上弟旧藏之书画数轴，请赠西泠印社，以供补壁。近日弟多忙，稍迟当走谒，同访高僧。品三先生

弟李婴顿首

《致叶舟信》原共九通，刊《收藏家》杂志 1998 年第 3 期洪为娅《弘一法师致叶为铭信札》一文中。原件现藏杭州市文物考古所。这里选 1—4，共 4 件。次序略有调整。

致日本东京美术学校图书馆

一

（一九一五年三月三十日）

拜启：

恭贺母校兴盛。《乐石集》四册别封发送。谨寄赠贵馆。今后还可陆续寄赠，查收为盼。如能成为同学诸君的几分参考，幸甚之至。愚生目下就职于浙江省杭州第一师范学校。校务之余暇，组织乐石社，从事印章的研究。

李岸顿首　三月三十日

原刊于《东京美术学校校友会月报》第14卷第1号，1915年4月30日。

二

（一九一五年六月二十五日）

拜启：

仲夏绿荫，惟校友诸君动静安豫为颂。不慧近有所感，定于七月一日入杭州大慈山定慧寺（俗名虎跑寺）为沙弥。寺为临济宗，但不慧所修者净土。以末法众生障重，非专、念佛，恐难有所成就也。寺在深山之中，邮便不通。今系通信处在杭州第一师范学校内，李增荣方。

六月二十五日

李岸　法名演音　号弘一

校友会诸君博鉴

（原刊于日本东京美术大学《东京美术学校校友会月报》第17卷第1号（1918年7月7日）。）

致刘质平

一

（一九一五年九月三日，杭州）

质平仁弟足下：

顷奉手书，敬悉。《和声学》亦收到。尊状近若何，至以为念！人生多艰，“不如意事常八九”，吾人于此，当镇定精神，勉于苦中寻乐；若处处拘泥，徒劳脑力，无济于事，适自苦耳。吾弟卧病多暇，可取古人修养格言（如《论语》之类）读之，胸中必另有一番境界。下半年仍来杭校甚善。不佞固甚愿与吾弟常相聚首也。祇讯

近佳

息上　九月三日

不佞于本学年兼任杭、宁二校课程，汽车往来千二百里，亦一大苦事也。

游日本未及到东京，故章程尚未觅到。详情容后复。

二

（一九一五年九月十六日，杭州）

质平仁弟足下：

顷接手书，诵悉。吾弟病势未减，似宜另择一静僻之地疗养为佳。家庭琐事，万勿介意。张拱璧已到海宁，曾晤面否？鄙人后日往南京，又须二星期乃可返杭。匆复，祇讯

痊安

李息上　九月十六日

吾弟如稍愈，到杭疗养何如？

三

（一九一六年八月十九日，杭州）

质平仁弟：

来函，诵悉。日本留学生向来如是。虽亦有成绩佳良者，然大半为日人作殿军或并殿军之资格而无之。故日人说起留学生辄作滑稽讪笑之态。不佞居东八年，固习见不鲜矣。君之志气甚佳，将来必可为吾国人吐一口气。但现在宜注意者如下：

（一）宜重卫生，俾免中途辍学。（习音乐者，非身体健壮之人。不易进步。专运动五指及脑，他处不运动，则易致疾。故每日宜为适当之休息及应有之娱乐，适度之运动。又宜早眠早起。食后宜休息一小时，不可即弹琴。）

（二）宜慎出场演奏，免受人之忌妒。（能不演奏最妥，抱璞而藏，君子之行也。）

（三）宜慎交游，免生无谓之是非。（留学界品类尤杂，最宜谨慎。）

（四）勿躐等急进。（吾人求学，须从常规，循序渐进，欲速则不达矣。）

（五）勿心浮气躁。[学稍有得，即深自矜夸；或学而不进（此种境界他日有之），即生厌烦心，或抱悲观，皆不可。必须心气平定，不急进，不间断。日久自有适当之成绩。]

（六）宜信仰宗教，求精神上之安乐。（据余一人之所见，确系如此，未知君以为何如？）

附录格言数则，呈阅。

不佞近来颇有志于修养，但言易行难，能持久不变尤难，如何如何！今秋因经先生坚留，情不可却，南京之兼职似可脱离。君暇时乞代购マンドリン弦E二根、A二根、D三根、G二根，封入信内寄下。六七日内拟汇款五圆存尊处，尚有他物乞代购也。君如须在沪杭购物，不佞可以代办，望勿客气，随时函达可也。

君在校师何人？望示知。听音乐会之演奏，有何感动？此不佞所愿闻者也。此复，即颂
旅吉

李婴　八月十九日

门先生乞为致意，他日稍暇，当作书奉候。并谓现在不佞求学不得，如行夜路，视门先生若在天上矣。

四

（一九一七年一月十八日，杭州）

手书诵悉。清单等皆收到。愈学愈难，是君之进步，何反以是为忧！B氏曲君习之，似躐等，中止甚是。试验时宜应试，取与不取，听之可也。不佞与君交谊至厚，何至因此区区云对不起？但如君现在忧虑过度，自寻苦恼，或因是致疾，中途辍学，是真对不起鄙人矣。从前鄙人与君函内解劝君之言语，万万不可忘记，宜时时取出阅看。能时时阅看，依此实行，必可免除一切烦恼。从前牛山充入学试验落第四次，中山晋平落第二次，彼何尝因是灰心？总之，君志气太高，好名太甚。务实循序四字，可为君之药石也。

中学毕业免试科学，是指毕业于日本中学者；君能否依此例，须详询之。证明书容代为商量。五日后返沪，补汇四元廿钱。前君投稿于《教育周报》，得奖银十六元。此款拟汇至日本可否？望示知！此复，即颂
近佳

李婴上　一月十八日

五

（一九一七年一月，杭州）

鄙人拟于数年之内，入山为佛弟子（或在近一二年亦未可知，时机远近，非人力所能定也）。现已络续结束一切。君春秋尚盛，似不宜即入此道。但如现在之遇事忧虑，自寻苦恼，恐不久将神经混杂，得不治之疾，鄙人可以断言。鄙意以为，君此时宜详审坚决。如能痛改此习，耐心向学，最为中正之道。倘自己仍无把握，不能痛改此习，将来必至学而无成，反致恶果；不如即抛却世事，入山为佛弟子，较为安定也。叨在至好，故尽情言之。阅后付丙。

六

（一九一七年三月，杭州）

质平仁弟：

来书诵悉。借款无复音，想无可希望矣。(某君昔年留学，曾受不佞补助。今某君任某官立银行副经理，故以借款商量，虽非冒昧，然不佞实自忘为窭人矣，于人何尤!）不佞自知世寿不永（仅有十年左右），又从无始以来，罪业至深，故不得不赶紧发心修行。自去腊受马一浮大士之熏陶，渐有所悟。世味日淡，职务多荒。近来请假，逾课时之半，就令勉强再延时日，必外贻旷职之讥(人皆谓余有神经病)，内受疚心之苦。君能体量不佞之意，良所欢喜赞叹！不佞即拟宣布辞职，暑假后不再任事矣。所藏音乐书，拟以赠君，望君早返国收领（能在五月内最妙)，并可为最后之畅聚。不佞所藏之书物，近日皆分赠各处，五月以前必可清楚。秋初即入山习静，不再轻易晤人。剃度之期，或在明年。前寄来之木箱，已收到。丰仁君习木炭画极勤。即颂

旅祉

附汇日金二十圆，望收入。

李婴

前曾与经先生谈及，君今年如返国，可否在一师校任事？经先生谓君在东，曾诽谤母校师长，已造成恶感。倘来任事，必无良果云云。附以直达，望以后发言，宜谨慎也。

不佞拟再托君购佛学数种，俟后函达。

七

（一九一七年，杭州）

质平仁弟足下：

来书诵悉。《菜根谭》及 M 经，前已收到，曾致复片，计已查收。官费事可由君访察他人补官费之经过情形，由君作函寄来。上款写经、夏二先生及不佞三人，函内详述他省补费之办法。此函寄至不佞处，由不佞与经、夏二先生商酌可也。君在东言行谨慎，甚佳。交友不可勉强，宁无友，不可交寻常之友，虽无损于我（或不尽然），亦徒往来酬酢，作无谓之谈话周旋，消费力学之时间耳。门先生忠厚长者，可以为君之友人。此外不再交友，亦无妨碍。始亲终疏，反致怨尤，故不如于始不亲之为佳也。不佞前致君函有应注意者数条，宜常阅之。又格言数则，亦不可忘。不佞无他高见，惟望君按步就班用功，不求近效。进太锐者恐难持久。不可心太高，心高是灰心之根源也。心尚忐忑不定，可以习静坐法。人手虽难，然行之有恒，自可人门。（君有崇信之宗教，信仰之尤善，佛、伊、耶皆可。）音乐书前日已挂号寄奉。附一函乞转交门先生。此复，即颂

近佳

李婴

八

（一九一七年，杭州）

质平仁弟：

前日寄一函，计达览。昨晤经先生，将尊函及门先生函呈去。（本拟约夏先生同往，据夏先生云：前得君函时，已与经先生谈过，故此次不愿再去。）经先生将尊函阅一过，门先生之函并未详阅。据云：此函无意思，因会长不能管此事也（此说不必与他人道）。总之，经先生对于此事颇冷淡。先云："须由君自己呈请，余不能言。"后鄙人再四恳求，始允往询。但因新厅长初到任，甚忙，现在不便去，何日去，难预定也。

鄙人谓浙江女生补费之事，可否援以为例？经先生云："不能。"后经先生遂痛论请补官费之难，逆料必不成功。又有"荐一科长与厅长尚易，请补一官费生殊难"之说。鄙人不待其辞毕，即别去，不欢而散，殊出人意外也。但平心思之，经先生事务多忙，本校毕业生甚多，经先生倘一一为之筹划，殊做不到。故以此事责备经先生，大非恕道。经先生人甚直爽，故能随意畅谈。若深沈之士，则当面以极圆滑之言敷衍恭维，其结果则一也。故经先生尚不失为直士。若夏先生向来不喜管闲事，其天性如是。总之官费事，以后鄙人不愿再向经先生询问。鄙人于数年之内，决不自己辞职。如无他变，前定之约，必实践也。望安心求学，毋再以是为念！此信阅毕，望焚去。言人是非，君子不为。今述其详，愿君知此事之始末。

婴上

九

（一九一七年，杭州）

质平仁弟：

昨上一函一片，计达览。请补官费之事，不佞再四斟酌，恐难如愿。不佞与夏先生素不与官厅相识，只可推此事于经先生。经先生多忙，能否专为此事往返奔走，亦未可知。即能任劳力谋，成否亦在未可知之数。（总而言之，求人甚难。）此中困难情形，可以意料及之也。君之家庭助君学费，大约可至何时？如君学费断绝，困难之时，不佞可以量力助君。但不佞窭人也，必须无意外之变，乃可如愿。因学校薪水领不到时，即无可设法。今将详细之情形述之于下：

不佞现每月入薪水百零五元

出款：

上海家用四十元年节另加

天津家用廿五元年节另加

自己食物十元

自己零用五元

自己应酬费买物添衣费五元

如依是正确计算，严守此数，不再多费，每月可余廿元。

此廿元即可以作君学费用。中国留学生往往学费甚多，但日本学生每月有廿元已可敷用。不买书、买物、交际游览，可以省钱许多。将来不佞之薪水，大约有减无增。但再减去五元，仍无大妨碍，（自己用之款内，可以再加节省。）如再多减，则觉困难矣。

又，不佞家无恒产，专恃薪水养家。如患大病，不能任职，或由学校辞职，或因时局不能发薪水；倘有此种变故，即无法可设也。以上所述。为不佞个人之情形。

倘以后由不佞助君学费，有下列数条，必须由君承认实行乃可：

一、此款系以我辈之交谊，赠君用之，并非借贷与君。因不佞向不喜与人通借贷也。故此款君受之，将来不必偿还。

一、赠款事只有吾二人知，不可与第三人谈及。君之家族、门先生等皆不可谈及。家族如追问，可云有人如此而已，万不可提出姓名。

一、赠款期限，以君之家族不给学费时起，至毕业时止。但如有前述之变故，则不能赠款。(如减薪水太多，则赠款亦须减少。)

一、君须听从不佞之意见，不可违背。不佞并无他意，但愿君按步就班用功，无太过不及。注重卫生，俾可学成有获，不致半途中止也。君之心高气浮是第一障碍物（自杀之事不可再想)，必须痛除。

以上所说之情形，望君详细思索，写回信复我。助学费事，不佞不敢向他人言，因他人以诚意待人者少也。即有装面子暂时敷衍者，亦将久而生厌，焉能持久？君之家族，尚不能尽力助君，何况外人乎？若不佞近来颇明天理，愿依天理行事，望君勿以常人之情推测不佞可也。此颂

近佳

李婴

此函阅后焚去。

十

（一九一八年四月十九日，杭州）

两次托上海家人汇上之款，计已收入。致日本人信已改就，望查收。去年由运送店寄来之物，尚未收到，便乞催询。

不佞近耽空寂，厌弃人事。早在今夏，迟在明年，将入山剃度为沙弥。刻已渐渐准备一切（所有之物皆赠人)。音乐书籍及洋服，拟赠足下。甚盼足下暑假时能返国一晤也。

质平仁弟

李婴　三月初九日

正月十五日，已皈依三宝，法名演音，字弘一。

十一

（一九一八年五月五日，杭州）

质平仁弟：

书悉。君所需至毕业为止之学费，约日金千余圆。顷已设法借华金千元，以供此费。余虽修道念切，然决不忍置君事于度外。此款倘可借到，余再入山；如不能借到，余仍就职至君毕业时止。君以后可以安心求学，勿再过虑。至要至要！即颂

近佳

演音　三月廿五日

致旧师孑民、旧友子渊、彝初、少卿、钟华诸居士

旧师孑民、旧友子渊、彝初、少卿、钟华诸居士同鉴：

昨有友人来，谓仁等已至杭州建设一切，至为欢慰。又闻孑师等在青年会演说，对于出家僧众，有未能满意之处。鄙意以为现代出家僧众，诚属良莠不齐。但仁等于出家人中之情形，恐有隔膜。将来整顿之时，或未能一一允当。鄙意拟请仁等另请僧众二人为委员，专任整顿僧众之事。凡一切规划，皆与仁等商酌而行，似较妥善。此委员二人，据鄙意，愿推荐太虚法师及弘伞法师任之。此二人，皆英年有为，胆识过人。前年曾往日本考察一切，富于新思想，久有改革僧制之弘愿。故任彼二人为委员，最为适当也。至将来如何办法，统乞仁等与彼协商。对于服务社会之一派，应如何尽力提倡（此是新派）；对于山林办道之一派，应如何尽力保护（此是旧派，但此派必不可废）；对于既不能服务社会，又不能办道山林之一流僧众，应如何处置，对于应赴一派（即专作经忏者），应如何严加取缔；对于子孙之寺院（即出家剃发之处），应如何处置；对于受戒之时，应如何严加限制……如是等种种问题，皆乞仁者仔细斟酌，妥为办理。

俾佛门兴盛，佛法昌明，则幸甚矣。此事先由浙江一省办起，然后遍及全国。弘伞法师现住西湖新新旅馆隔壁招贤寺内。太虚法师现住上海（其住址问弘伞法师便知）。谨陈拙见，诸乞垂察，不具。

弘一　三月十七日

昨闻友人述及仁者五人现任委员。此外尚有数人，或系旧友，亦未可知。并乞代为致候。

（1927 年 3 月 17 日）

致夏丏尊

一

丏居士：

江干之别，有如昨日。吴子书来，知仁归卧湖上，脱屣尘劳，甚善甚善。余以是岁春残，始来永宁（寓温州南门外城下寮），掩室谢客，一心念佛，半以二载，圆成其愿。仁者迩来精进何似？衰老浸至，幸宜早自努力。

义海渊微，未易穷讨，念佛一法，最契时机。印老文钞，宜熟览玩味，自知其下手处也（可先阅其书札一类）。仁或来瓯，希于半月前先以书达，当可晋接。秋凉，惟珍重不具（便中代求松烟墨二锭寄下）。

演音　八月廿七夕

（一九二一年　温州）

二

丏尊居士：

惠书忻番一一。摄影甚美，可喜。山房建筑，于美观上甚能注意，闻多出于石禅之计划也。石禅新居，由山房望之，不啻一幅画图（后方之松树配置甚妙）。彼云：曾费心力，惨淡经营。良有以也。

现在余虽未能久住山房，但因寺院充公之说，时有所闻，未雨绸缪，早建此新居，贮蓄道粮，他年寺制或有重大之变化，亦可毫无忧虑，仍能安居度日。故余对于山房建筑落成，深为庆慰。甚感仁等护法之厚意也（秋后往闽闭关之事，是为宿愿，未能中止。他年仍可来居山房，终以此处为久居之地也）。

以上之意，如仁者与发起诸居士及施资诸居士晤面之时，乞为代达。因恐他人以新居初成，即往他方或致疑讶者，故乞仁者善为之解释，俾令大众同生欢喜之心也。数日以来，承尊宅馈赠食品，助理杂务，一切顺适，至用感谢！顺达，不具。

演音答　重阳朝

（一九二九年　上虞白马湖）

三

丏尊居士道鉴：

久未致讯，至念。上月徙居山中，距邮政代办所八里，投信未便，故诸友处悉无音问也。兹拟向佛学书局请经，附一笺乞转送，并乞由晚晴会施洋三十元附递。费神，至感！

山乡风俗淳古，男业木、土、石工，女任耕田、挑担。男四十岁以上多有辫发者，女子装束更古，岂惟清初，或是千数百年来之遗风耳。余居此间，有如世外桃源，深自庆喜。

开明出版拙书《华严集联》及《李息翁法书》，乞各寄下三册，以结善缘，感谢无尽！惠书乞寄厦门转惠安县东门外黄坑铺港仔街回春号药店刘清辉居士转交净峰寺弘一收。

演音疏

（一九三五年　惠安）

致丰子恺

一

今日午前挂号寄上一函及画稿一包，想已收到。顷又做成白话诗数首，写录于左（下）：

（一）“倘使羊识字”因前配之古诗，不贴切。故今改做。

倘使羊识字，泪珠落如雨，

口虽不能言，心中暗叫苦。

（二）“残废的美”

好花经摧折，曾无几日香，

憔悴剩残姿，明朝弃道旁。

（三）“喜庆的代价”（原配一诗，专指庆寿而言。此则指喜事而言。故拟与原诗并存。共二首。或者谨用此一首而将旧选者删去。因旧选者其意虽佳，而诗笔殊拙笨也。）

喜气溢门楣，如何惨杀戮，

唯欲家人欢，那管畜生哭。

（四）原题为“悬梁”

日暖春风和，策杖游郊园。

双鸭泛清波，群鱼戏碧川。

为念世途险，欢乐何足言。

明朝落网罟，系颈陈市廛。

思彼刀砧苦，不觉悲泪潸。

案此原画，意味太简单，拟乞重画一幅。题名曰“今日与明朝”。将涛中“双鸭泛清波，群鱼戏碧川”之景补入。与“系颈陈市廛，相对照”共为一幅。则今日欢乐与明朝悲惨相对照，似较有意味。此虽是陈腐之老套头，今亦不妨采用也。俟画就时，乞与其他之画稿同时寄下。再者画稿中《母之羽》一幅，虽有意味，但画法似未能完全表明其意，终觉美中不足。倘仁者能再画一幅，较此为优者，则更善矣，如未能者，仍用此幅亦可。前所编之画集次序，犹多未安之处，俟将来暇时，仍拟略为更动，俾臻完善。

子恺居士慧览

演音上

八月廿二日

（一九二八年　温州）

二

昨晚获诵惠书，忻悉一一，兹复如下。

续画之画稿，拟乞至明年旧历三月底为止。（因温州春寒殊甚，未能执笔书写。须俟四月天暖之后乃能动笔。）

由此时至明春三月，乞仁者随意作画，多少不拘。朽人深知此事不能限期求速就（写字作文等亦然）。若兴到落笔，乃有佳作。所谓“妙手偶得之”也。至三月底即截止，由朽人用心书写，大约五月间可以竣事。仁者新作之画，乞随时络续寄下（又以前已选入之画稿及未选入者并乞附人便中寄下），即由朽人选择。其选入者，并补题诗句。

白居易诗，香饵云云二句，系以鱼喻彼自己，或讽世人，非是护生之意。其义寄托遥深，非浅学所能解，乞勿用此诗作画。

研究起信论，译佛教与科学之事，暂停无妨。礼拜念佛功课未尝间断，戒酒已一年，至堪欢喜赞叹。近来仁者诸事顺遂，实为仁者专诚礼拜念佛所致。念佛一声，能消无量罪，能获无量福。惟在于用心之诚恳恭敬与否，不专在于形式上之多少也。

网篮迟至年假时带去，无妨。

珂罗版《华严经》，乞赠李圆净居士一册。

以后作画，无须忙迫。至画幅之多少，亦不必预计。如是乃有佳作。

倘他日集中画幅再增多之时，则已删去之画，如“倒悬”、“众生”（又名上法场）等，或仍可配合选入。俟他日再详酌。

许居士如愿出家，当为设法。

明年大约仍可居住庆福寺。因公园以筹款不足，停止进行。故尚安静可住。承诸友人赠送之资，至为感谢。此次寄来之廿元，拟留充明年自己之零用。至于明年，尚需贴补寺中全年食费约六十元。又于地藏殿装玻璃门，及续藏经书橱之木架等费，朽人拟赠与寺中三十元。共计九十元。倘他日有友人送款资至仁者之处，乞为存积。俟今年阴历年底，朽人再斟酌情形。倘需用此款者，当致函奉闻，请仁者于明年春间便中汇下。此事须今年年底酌定，故所有款资，拟先存仁者之处，乞勿汇下。

明年朽人能于秋间至上海否，难以预定。或不能来，亦未可知。因近来拟息心用功，专修净业，恐出外云游，心中浮动，有碍用功也。统俟明年再为酌定。

明年与后年，两年之中拟暂维持现状。至于夏居士所云建造房舍之事，俟辛未年再行斟酌。

草草奉复。不具。

演音上　九月十二日

子恺居士

再者。以后惠函，信面之上，乞勿写和尚二字。因俗例，须本寺住持，乃称和尚。朽人今居客位，以称大师或法师为宜。

（一九二八年　温州）

三

子恺居士：前日已至白马湖，承张居士代表招待一切，至用感慰。兹有四事，奉托如下：（一）乞画澄照律祖像一幅。别奉样式一纸，乞检阅。此像在《续藏经》中。今依彼原稿，略为缩小，如别纸中硃笔所画轮廓为限。如以原稿太繁密者，乞仁者依己意稍为简略，但仍以工笔细线画之为宜。画纸乞用拷碑纸，因将刻木版也。此画像，能于旧历九月中旬随夏居士返家之便带下，为感。（二）前存尊处马一浮居士图章一包，乞于便中托人带至杭州，交还马居士。但此事迟早不妨，虽迟至数月之后亦可。马居士寓杭州联桥及弼教坊之间延定巷旧第五号或第四第六号门牌内。（三）福建苏居士今春在鼓山，定印《华严疏论纂要》多部。此书系康熙古版，外间罕有流传。每部大约六十册，实费二十九元。拟以十二部分赠日本各宗教大学及图书馆等，托内山书店代为分配及转寄。又以二部赠与上海功德林流通。附写信二纸，乞于便中转交内山书店及功德林佛经流通处为感。（四）有人以五圆托仁者向功德林代购下记之书。华严处会感应缘起传一册。其余之资，皆请购功德林藏版《地藏菩萨本愿经》若干册及其邮费。此书代为邮寄"温州大南门外庆福寺因弘法师收"，无须挂号。此款乞暂为垫付，俟他日托夏居士带奉。种种费神，感谢无尽。惟净法师偕来，诸事甚为妥善。秋后朽人或云游他方，仍拟请惟净法师在晚晴山房居住，管理物件及照料一切，彼亦有愿久住山房之意。闻仁者近就开明编辑之事，想甚冗忙。如少闲暇，九月中旬可以不来白马湖。俟他时朽人至上海，仍可晤谈也。俗礼幸勿拘泥为祷。不具。

旧八月廿九日　演音疏

（一九二九年八月　白马湖）

致马冬涵

冬涵居士道席：

承示印稿，至佳。刀尾扁尖而平齐若椎状者，为朽人自意所创。锥形之刀仅能刻白文，如以铁笔写字也。扁尖形之刀可刻朱文，终不免雕琢之痕，不若以椎形刀刻白文，能得自然之天趣也。此为朽人之创论，未审当否耶？李、郑二君之单条附挂号邮奉，乞收之。仁者暇时，乞为刻长形印数方，因常须用此形之印，以调和补救所写之字幅也。朽人写字时，皆依西洋画图案之原则，竭力配置调和全纸面之形状。于常人所注意之字画、笔法、笔力、结构、神韵，乃至某碑、某帖、某派，皆一致屏除，决不用心揣摩。故朽人所写之字，应作一张图案画观之则可矣。不惟写字，刻印亦然。仁者若能于图案法研究明了，所刻之印必大有进步。因印文之章法布置，能十分合宜也。又无论写字、刻印等亦然，皆足以表示作者之性格（此乃自然流露，非是故意表示）。朽人之字所表示者：平淡、恬静、冲逸之致也。乞刻印文，别纸写奉。谨复，不宣。

旧十月二十九日　演音疏

（一九三八年　泉州）

致刘肃平

肃平居士：

曩过万岁里巷，获诵“震川文派”一联，雅恩渊才，叹为稀有。亦既衰世，斯文沦替。知昌谷、震川名者盖鲜，矧复摭其遗事，缀为骈辞，有如贤首，则是人中芬陀利矣。书法亦复娴雅，神似阴符。末由展觌，聊致款曲，并赍奉梵典四部，希以清暇，研味其趣。

朔风多哀，为道珍摄。不宣。

演音

叶震昌小客栈门联。栈在温州北门内：

震川文派朋樽盛，

昌谷诗题旅壁多。

（一九二三年　温州）

致李圣章

圣章居士慧览：

二十年来，音问疏绝，昨获长简，环诵数四，欢慰何如！

任杭教职六年，兼任南京高师顾问者二年，及门数千，遍及江浙。英才蔚出，足以承绍家业者，指不胜屈，私心大慰。弘扬文艺之事，至此已可做一结束。

戊午二月，发愿入山剃染，修习佛法，普利含识。以四阅月力料理公私诸事：凡油画、美术、图籍，寄赠北京美术学校（尔欲阅者可往探询之），音乐书赠刘质平，一切杂书零物赠丰子恺（二子皆在上海专科师范，是校为吾门人辈创立）。布置既毕，乃于五月下旬入大慈山（学校夏季考试，提前为之），七月十三日剃发出家，九月在灵隐受戒，始终安顺，未值障缘，诚佛菩萨之慈力加被也。出家既竟，学行未充，不能利物。因发愿掩关办道，暂谢俗缘（由戊午十二月至庚申六月，住玉泉清涟寺时较多）。

庚申七月，至新城贝山（距富阳六十里），居月余，值障缘，乃决意他适。于是流浪于衢、严二州者半载。辛酉正月，返杭居清涟。三月如温州，忽忽年余，诸事安适；倘无意外之阻障，将不它往。当来道业有成，或来北地与家人相聚也。

音拙于辩才，说法之事，非其所长，行将以著述之业终其身耳。比年以来，此土佛法昌盛，有一日千里之势。各省相较，当以浙江为第一。附写初学阅览之佛书数种，可向卧佛寺佛经流通处请来，以备阅览。拉杂写复，不尽欲言。

释演音疏答　四月初六日

尔父处亦有复函，归家时可索阅之。

（一九二二年　温州）

致李绍莲

岁云暮矣，积阴凝寒。言念仁者，渺在天末。末由省展，惆怅如何？岁月不居，衰老浸至。儿时知交，大半迁逝。墓门青草，巷口斜阳，人事无常，可为悲叹！惟有仁者，时相承问。辄深旧雨之想，每怀朝露之懔。余与仁交垂三十年，相知以心，亲逾骨肉。入山以来，时且驰想。为忆仁者，滞情尘网，匪仰如来之慈力，宁脱忍域之苦轮。念佛一门，诚为津要矣。曩邮《印光法师文钞》，当达记室。幸以清暇，研味其趣。或有未达，毋遗下问。原穷凡智，以酬来旨。附赍佛典一函，希垂省览，以自督励。流光迈驰，瞬息来世。幸宜及时努力，毋致当来忧悔。略写诚款，岂复委宣。

（一九二三年　温州）

致蔡元培等

旧师孑民、旧友子渊、彝初、少卿、钟华诸居士同鉴：

昨有友人来，谓仁等已至杭州建设一切，至为欢慰！又闻孑师等在青年会演说，对于出家僧众，有未能满意之处。鄙意以为现代出家僧众，诚属良莠不齐，但仁等于出家人中之情形，恐有隔膜。将来整顿之时，或未能一一允当。鄙意拟请仁等别请僧众二人为委员，专任整顿僧众之事。凡一切规画，皆与仁等商酌而行，似较妥善。此委员二人，据鄙意，愿推荐太虚法师及弘伞法师任之。此二人，皆英年有为，胆识过人。前年曾往日本考察一切，富于新思想，久有改革僧制之弘愿。故任彼二人为委员，最为适当也。至将来如何办法，统乞仁等与彼协商。

对于服务社会之一派，应如何尽力提倡（此是新派）；对于山林办道之一派，应如何尽力保护（此是旧派，但此派必不可废）。对于既不能服务社会，又不能办道山林之一流僧众，应如何处置；对于应赴一派（即专作经忏者），应如何严加取缔。对于子孙之寺院（即出家剃发之处），应如何处置。对于受戒之时，应如何严加限制。如是等种种问题，皆乞仁者仔细斟酌，妥为办理。俾佛门兴盛，佛法昌明，则幸甚矣。此事先由浙江一省办起，然后遍及全国。弘伞法师现住里西湖新新旅馆隔壁招贤寺内。太虚法师现住上海（其住址问弘伞法师便知）。谨陈拙见，诸乞垂察，不具。

弘一　三月十七日

昨闻友人述及仁者五人现任委员。此外尚有数人，或系旧友，亦未可知。并乞代为致候。

（一九二七年　杭州）

致林奉若

奉若居士澄览：

关于食物之事，略陈拙见如下，乞为转陈执务者，为感！

依律，食物亦名曰药，以其能调和四大，令获康健，俾能精进办道。但贪嗜甘美之物，律所深呵。常食昂价之品，尤为失福。故以价廉而适于卫生之物最为合宜也。

豆类，含有蛋白质，为最重要之滋养品。但亦不能多食，多食则不消化（与常人食补药者同，须以少量而每日食之，但不可一次多量，若过量者，反致增疾）。

蔬菜之类，且就本寺现有者言之，菠葠菜，为菜中之王，含有铁质及四种维他命，为滋补最良之品。

白萝卜（俗称菜头），亦甚能滋补。红萝卜亦然。

白菜，亦甚佳（或白色或绿色皆佳），若芥菜、雪里红，则性稍燥，不可常食。

花生，含有油质，食之有益（但不可多食）。

且以拙见言之，菜食一盂之中，约以蔬菜占五分之四，豆类及花生等占五分之一，乃为适宜也。

近来本寺送与朽人之菜食，其中豆类太多，蔬菜太少，未能调和，故陈拙见，以备采择。

再者，前朽人云，不愿食菜心及冬笋者，因其价昂而不食，非因齿力不足也。菜心与白菜相似，而价昂数倍。冬笋价极昂，西医谓其未含有何种之滋养质也。

又香菇亦不宜为常食品，明莲池大师曾力诫之。

煮豆类、花生及蔬菜之汤，亦不可弃，其中含有多份之滋养料。倘弃其汤，而唯食其质，犹如服中国药者，弃其药汤而唯食其药渣也。

朽人齿力尚健，以刀切蔬菜时，不妨切大块，咀嚼甚易也。

以上种种拙见，乞为执务者讲解其义，令彼了知，至用感谢！谨陈，不宣。

十二月廿七日　善梦启

（一九三九年　永春）

致芝峰法师

芝峰法师慈鉴：

久别，甚念。音今春以来，疾病缠绵，至今犹未复元。故掩室之事，不得不暂从缓。前日到金仙寺访幻法师，藉闻座下近况，至用欣慰。音因刘质平居士谆谆劝请，为撰《清凉歌集》第一辑。歌词五首，附录奉上，乞教正。歌词文义深奥，非常人所能了解。需撰浅显之注释，详解其义。音多病，精神衰颓，万难执笔构思。且白话文字，亦非音之所长，拟奉恳座下慈愍，为音代撰歌词注释，至用感祷！兹略陈拙意如下，未审当否？谨录之，以备参考。

此歌为初中二以上乃至专科学生所用。彼等罕有素信佛法者，乞准此程度，用白话文撰极浅显之注释，并令此等学生阅之，可以一目了然。注释中有不得已而用佛学专门名词者，亦乞再以小注解之。

注释之法，以拙意悬拟，每首拟先释题目，后释歌词。释题目中，先述题目之大意，后释题目之字义。释歌词中，先述全首歌词之大意，次略为分科，后乃解歌词之字义也。虚大师所撰之《三皈依歌》，亦乞撰注释，并曲谱寄下，以便宣布。至为感谢！谨此恳请，顺叩

法安！

九月四日　演音和南

（一九三一年　慈溪金仙寺）

致聂云台

云台居士道鉴：

惠书诵悉。“弯弯新月”赞偈，余于十年前闻之，已知其非。尝劝改用《普门品》中五言偈句，但以人微言轻，又因积习难改，故未能实行。近闻厦门南普陀寺于数年前已改用《焰口》书中所载普陀七言四句偈，则胜“弯弯新月”多多矣（此偈附写纸尾）。余意赞偈应选用经中所载者为宜，似较别撰者优也。但今诸僧众，若令其改唱经偈，恐咿哑不能上口。未若改《焰口》中四句，是为彼等放焰口时所常唱者，必能易于改变也。炉香赞（此是供养赞，非赞佛也），始见于莲池大师所订课诵中，故知此赞最古。其他皆后世俗僧或腐儒之作，罕有可取者。余自惭德薄，虽久有订正之意，然无人信受，唯可付之长叹耳！

再者，近来念佛时，常用之“愿生西方净土中”四句，其末句为“不退菩萨为伴侣”，语气殊未完足（似尚有下文者）。且此四句仅言生西，而无利生之愿，亦有未合。余于五六年前曾劝人将第四句改为“普利一切诸含识”（用《普贤行愿品》成句），则语气既能完足，且具利生之愿。但至今犹无人承用者，可见习惯难改。而僧众多奔走营务，亦罕有注意于此者，可长叹耳！谨复，不宣。

演音启

赞观世音菩萨偈：“普陀洛伽常入定，随缘赴感靡不周。寻声救苦度群迷，故号名为观自在。”（载于天宁版《焰口》第三十七页）

（一九三五年　惠安）

致高文显

一

胜进居士道席：

惠书诵悉。承仁者乡居安乐，至用欣慰。余于岁首在万寿讲小本《弥陀经》七日，并辑讲录一卷。诸缘顺遂，堪预远念耳。雨后行止未定，犹如落叶，一任业风飘去，宁知方所耶？想仁者不久将返鹭屿，略述所怀，不及邮奉，谨托洽师传呈，不宣。

演音白　正月元宵夜

（一九三五年　厦门）

二

胜进居士道鉴：

近往韩偓墓道碑前，摄影一页。仁者暇时，宜编辑《韩偓评传》一卷（或仅题名曰《韩偓》，或用他名，乞酌之）。偓居南安久，墓亦在此，是为尊邑最胜之古迹，想仁者必乐为提倡也。最要者，力辨《香奁集》决非偓作（《辞源·香奁集》一条，已为考据辨正，乞检阅之）。卷首即须标明此事，以后再详论之（书中须前后二处辨正此事。所以再说不嫌重复者，恐阅者于此事不注意也）。

近代《香奁集》流通甚广，以此污偓，实为恨事。偓乃刚正之人，岂是作香奁诗者？

编辑之法，大致如下：

卷头列摄影一幅，后面乞记此因缘。大略云："二十二年岁次癸酉十月，讲律于泉州大关元寺既竟，下旬与广洽诸上人等，偕往西门外净览寺，于中途获见此墓道碑，为之惊喜。二十四年乙亥二月，复往墓道碑后山麓，寻觅墓地，卒不可得。是年十一月九日，偕广洽上人往彼摄影，摄者艺轩陈祝信也。"

参考诸书：

《新唐书·韩偓传》。

《辞源》另有《香奁集》一条未录，乞检寻之。

《历代名人辞典》。

《泉州府志》。

《韩内翰别集》（或名韩翰林学士等）、《内庭集》、《金銮密记遗稿》等，恐不可得，亦乞向他学者询之。

书仅一卷，页数不宜多。所主要者，即是辨正《香奁集》與偓在南安时诸遗事耳。《新唐书》中所载诸事，唯择其有兴味者，略记一二。其他皆仅举大纲。

仁者于他日编就时，乞托洽上人带下，由余介绍于书局出版也。谨陈，不具。

册页一函，附奉上。

演音启　十一月十三日

（一九三五年　鼓浪屿）

三

胜进居士：

“一斗夜来陪汉史，千春朝起展菜衣。”此厦门某氏宅门联也，未知是古诗句，或其自撰。幽秀沉著，洵为佳句。书法亦神似东坡（应是高士手笔）。其地址如下记（略）。仁者暇时，可往一阅。能询其撰书者为何人，则至善矣。门内下首边房亦有联，余未见，仁者能入门一阅否？

一音启

余至南闽八年，罕见有如是佳联，足与南普陀山门“分派洛伽”一联，相媲美也。

（一九三六年　厦门）

致瑞今法师

弘一提倡办小学之意，决非为养成法师之人材。例如天资聪颖、辩才无碍、文理精通、书法工秀等。如是等决非弘一所希望于小学学僧者（或谓小学办法；第一须求文理通顺，并注重读诵等。此仍是养成法师之意，与弘一之意不同）。

弘一提倡之本意，在令学者深信佛菩萨之灵感，深信善恶报应因果之理，深知如何出家及出家以后应作何事，以造成品行端方，知见纯正之学僧。至于文理等在其次也。儒家去："士先器识而后文艺"，亦此意也。谨书拙见，以备采择。

七月十四日晨　弘一

（一九三四年　厦门）

致穆犍莲

犍莲居士文席：

惠书欣悉一一。诸荷护念，感谢无尽！向因传贯师劝，往菲延期，遂免于难。否则囚居古浪矣。但对付敌难，舍身殉教，朽人于四年前已有决心，曾与传贯师等言及。古诗云："莫嫌老圃秋容淡，犹有黄花晚节香。"吾人一生之中，晚节最为要紧，愿与仁等共勉之也。亭亭菊一枝，高标矗劲节。云何色殷红？殉教应流血！

音启

（一九二九年　永春）

致李芳远

一

初学篆字，宜先习《说文解字》建首。每日写四字，每字写数十次。写时宜提笔悬肘。如是，积日渐进，万不可以求急速。

音启

（一九三六年　鼓浪屿）

二

芳远居士文席：

惠书诵悉，至用欢慰。传贯已返惠安，不久即来厦门。清智法师书，已托人送去。仁者发大菩提心，归信佛法，至堪庆喜！兹付挂号寄上书一包。《菩提心戒释义》一册（此书说十善之义，为学佛之初步）。《皆大欢喜》一册（说近时灵感之事）。《释迦如来一代记》一册（说佛之历史。文笔浅显。甚有兴味，易于阅览）。《人死问题》一册（文义稍深，亦可略阅）。《佛教公论》及半月刊（各一册）。《地藏菩萨本愿经》一册。又《说要》一束（乞以《说要》对阅经文，自可易于了解）。拙书直幅一纸，拙书大联拓本二对（此联存鼓山）。朽人不久或往泉州乡间，亦未可知。临时再奉告可也。仁者暇时，乞往普照寺一游。在彼居者，皆余之友人。前月彼等曾约朽人往寺居住。因泉州之约已定，故未能往也。附写介绍笺一纸，乞收入。谨复，不宣。

演音启　旧十二月四日

（一九三六年　鼓浪屿）

三

芳远童子慧览：

惠书诵悉。至用欣慰！此间风光清胜，可以忘忧。湛山寺住众百余人，殿阁庄严，诚一大丛林焉。朽人讲务之余，颇闲适。约当中秋节后，即可返厦门也。诸承关念，感谢万千。谨复，不宣。

音启

（一九三七年　青岛）

四

芳远童子澄览：

惠教诵悉。至用感谢！朽人已于九月廿七日归厦门。近日厦市虽风声稍紧，但朽人为护法故，不避炮弹，誓与厦市共存亡。古诗云："莫嫌老圃秋容淡，犹有黄花晚节香。"乃斯意也。吾人一生之中，晚节为最要。愿与仁等共勉之！

弘一上　十月二十三日

（一九三七年　厦门）

致许晦庐

晦庐居士文席：

惠书诵悉。诸荷护念，感谢无已！朽人剃染已来二十余年，于文艺不复措意，世典亦云：“士先器识而后文艺。”况乎出家离俗之侣。朽人昔尝诫人云：“应使文艺以人传，不可人以文艺传。”即此义也。承刊三印，古穆可喜，至用感谢！篆额二纸，率尔写奉。十四五岁时常学篆书。弱冠以后，兹事遂废。今老矣，随意信手挥写，不复有相可得，宁计其工拙耶。数日后掩室习静，谢绝访问，数月之后，乃可与诸友通问讯。其敏居士乞代致候，不宣。

音启

（一九三八年　泉州）

致郑健魂

健魂居士文席：

惠书欣悉一一。诸荷护念，感谢无尽！向因传贯师劝，往菲延期，遂免于难。否则囚居鼓浪矣。但对付敌难，舍身殉教，朽人于四年前已有决心，曾与传贯师等言及。古诗云："莫嫌老圃秋容淡，犹有黄花晚节香。"吾人一生之中，晚节最为要紧，愿与仁等共勉之也。属书三纸，已就，附奉上。小字一幅，俟天晴时写。将来若能与丰居士通信时，当达尊意。谨复。不宣。

音启农历十月二十五日

此小字《心经》一纸，为特别写件。乞暂秘藏，勿示他人。恐他人援例请求也。又附奉上单款写件四纸，乞随意赠送。此次所用上海宣纸，为友人所赠，殊不易得也。附白。

（一九三九年　永春）

李叔同作品精选・国魂浩荡

名句文身示法空，一花一叶总神通。
会看遍满尘沙界，万行庄严在此中。

——马一浮

手书诗词稿

庚　子

老少年曲[①]

梧桐树，西风黄叶飘。夕阳疏林抄，花事匆匆，零落凭谁吊？
朱颜镜里凋，白发愁边绕。一霎光阴底是催人老。有千金难买韶华好。

壬　寅

重游小兰亭口占

重游小兰亭，风景依稀，心绪殊恶。口占二十八字题壁，时九月望前一日也。

一夜西风蓦地寒，吹将红叶上栏干。春来秋去忙如许，未到晨钟梦已阑。

甲　辰

二月望日歌筵赋此叠韵

莽莽风尘窣地遮，乱头粗服走天涯。
樽前丝竹销魂曲，眼底欢嬉薄命花。
浊世半生人渐老，中原一发日西斜。
只今多少兴亡感，不独隋堤有暮鸦。

① 本词一九〇〇年冬写于上海城南草堂，后辑入《辛丑北征泪墨》。

七月七夕在谢秋云妆阁有感诗以谢之

风风雨雨忆前尘，悔煞欢场色相因。
十日黄花愁见影，一弯眉月懒窥人。
冰蚕丝尽心先死，故国天寒梦不春。
眼界大千皆泪海，为谁惆怅为谁颦！

金缕曲·赠歌郎金娃娃

秋老江南矣。忒匆匆、喜余梦影，樽前眉底。陶写中年丝竹耳，走马胭脂队里。怎到眼都成余子。片玉昆山神朗朗，紫樱桃，慢把红情系。愁万斛，来收起。泥他粉墨登场地。领略那、英雄气宇，秋娘情味。雏凤声清清几许，销尽填胸荡气。笑我亦布衣而已。奔走天涯无一事，问何如声色将情寄。休怒骂，且游戏。

《滑稽列传》题词四绝[①]

斗酒亦醉石亦醉，到心惟作平等观。
此中消息有盈朒，春梦一觉秋风寒。

淳于髡

中原一士多奇姿，纵横宇合卑莎维。
人言毕肖在须眉，茫茫心事畴谁知？

优孟

① 本组诗一九〇五年春写于上海。

婴武伺人工趣语，杜鹃望帝凄春心。
太平歌舞且抛却，来向神州忾陆沉。

优旃

南山豆苗肥复肥，北山猿鹤飞复飞。
我欲蹈海乘风归，琼楼高处斜阳微。

东方朔

赠语心楼主人

天末斜阳淡不红，蝦蟆陵下几秋风。
将军已死圆圆老，都在书生倦眼中。
道左朱门谁痛哭，庭前枯木已成围。
只今憔悴江南日，不似当年金缕衣。

乙 巳

菩萨蛮·忆杨翠喜

燕支山上花如雪，燕支山下人如月。额发翠云铺，眉弯淡欲无。夕阳微雨后，叶底秋痕瘦。生小怕言愁，言愁不耐羞。

晓风无力垂杨懒，情长忘却游丝短。酒醒月痕低，江南杜宇啼。痴魂销一捻，愿化穿花蝶。帘外隔花阴，朝朝香梦沈。

为老妓高翠娥作

残山剩水可怜宵，慢把琴樽慰寂寥。顿老琵琶妥娘曲，红楼暮雨梦南朝。

金缕曲·将之日本，留别祖国并呈同学诸子

披发佯狂走。莽中原，暮鸦啼彻，几株衰柳。破碎河山谁收拾？零落西风依旧。便惹得离人消瘦。行矣临流重太息，说相思，刻骨双红豆。愁黯黯，浓于酒。

漾情不断淞波溜。恨年来、絮飘萍泊，遮难回首。二十文章惊海内，毕竟空谈何有？听匣底苍龙狂吼。长夜凄风眠不得，度群生那惜心肝剖？是祖国，忍孤负！

丙　午

喝火令·哀国民心之死也①

故国鸣鹧鸪，垂杨有暮鸦。江山如画夕阳斜。新月撩人，透入碧窗纱。陌上青青草，楼头艳艳花。洛阳儿女学琵琶，不管冬青一树属谁家。不管冬青树底影事一些些。

高阳台·忆金娃娃

十日沈愁，一声杜宇，相思啼上花梢。春隔天涯，剧怜好梦迢遥。前溪芳草经年绿，只风情，孤负良宵。最难抛、门巷依依，暮雨潇潇。

而今未改双媚妩，只江南春老，谢了樱桃。忒煞迷离，匆匆已过花朝。游丝苦挽行人驻，奈东风，冷到溪桥。镇无聊，记取离愁，吹彻琼箫。

① 本词一九〇六年八月写于天津，时作者因患肺结核，自日本返天津养病。

醉　时[①]

醉时歌哭醒时迷，甚矣吾衰慨凤兮。
帝子祠前芳草绿，天津桥上杜鹃啼。
空梁落月窥华发，无主行人唱大堤。
梦里家山渺何处，沈沈风雨暮天西。

春　风

春风几日落红堆，明镜明朝白发摧。
一颗头颅一杯酒，南山猿鹤北山莱。
秋娘颜色娇欲语，小雅文章凄以哀。
昨夜梦游王母国，夕阳如血染楼台。

昨　夜

昨夜星辰人倚楼，中原咫尺山河浮。
沈沈万绿寂不语，梨花一枝红小秋。

① 本诗一九〇六年八月写于自日本回国省亲途中。

丁　未

初　梦①

鸡犬无声天地死，风景不殊山河非。
妙莲花开大五尺，弥勒松高腰十围。
恩仇恩仇若相忘，翠羽明珠绣两裆。
隔断红尘三万里，先生自号水仙王。

帘　衣

帘衣一桁晚风轻，艳艳银灯到眼明。
薄悻吴儿心木石，红衫娘子唤花名。
秋于凉雨燕支瘦，春人离弦断续声。
后日相思渺何许，芙蓉开老石家城。

① 本诗一九〇六年八月写于自日本回国省亲途中。

集外诗词

咏山茶花

瑟瑟寒风剪剪催，几枝花发水云隈。
淡妆写出无双品，芳信传来第二回。
春色鲜鲜胜似锦，粉痕艳艳瘦于梅。
本来桃李羞同调，故向百花头上开。

右余近作《山茶花》诗也。格效东瀛诗体，愧鲜形貌之似。近读东瀛山根立庵先生佳作，而拙作益觉如土饭尘羹矣。先生《咏山茶花诗》云："前身尝住建溪滨，国色由来出素贫。凌雪知非青女匹，耐寒或与水仙亲。丰腴坡老诗中相，明艳涪翁赋里人。莫被渡江梅柳妬，群芳凋日早回春。"

己亥岁暮之月惜霜仙史成蹊。

（据手稿，作于1899年12月。）

和宋贞题《城南草堂图》原韵

门外风花各自春，空中楼阁画中身。
而今得结烟霞侣，休管人生幻与真。

庚子初夏，舍寄居草堂。得与幻园晨夕聚首。"曩幻园于丁酉冬，作《二十自述诗》，张蒲友孝廉为题词云：无真非幻，无幻非真。"可谓深知幻园者矣。

李成蹊

（原刊于《城南草堂倡和集》，作于1900年初夏。）

清平乐·赠许幻园

城南小住，情适闲居赋。
文采风流合倾慕，闭户著书自足。
阳春常驻山家，金樽酒进胡麻。
篱畔菊花未老，岭头又放梅花。

（原刊于《城南草堂笔记》，作于1900年。）

戏赠蔡小香四绝

眉间愁语烛边情，素手掺掺一握盈。
艳福者般真羡煞，佳人个个唤先生。
云髻蓬松粉薄施，看来西子捧心时。
自从一病恹恹后，瘦了春山几道眉。
轻减腰围比柳姿，刘桢平视故迟迟。
佯羞半吐丁香舌，一段浓芳是口脂。
愿将天上长生药，医尽人间短命花。
自是中郎精妙术，大名传遍沪江涯。

（原刊于《城南草堂笔记》，作于1900年。）

醉花阴·闺怨

落尽杨花红板路，无计留春住。独立玉阑干，欲诉离愁，生怕笼鹦鹉。楼头又见斜阳暮，怎耐归期误。相忆梦难成，芳草天涯，极目人何处？

（原刊于上海《消闲报》1901年6月7日（光绪二十七年四月二十一日），署名惜霜。）

和冬青馆主题京伶瑶华画扇四绝

素心一瓣证前因，恻恻灵根渺渺神。
话到华年怨迟暮，美人香草哭灵均。（瑶华工绘兰，有清古之趣）
承平歌舞忆京华，紫陌青骢踏落花。
记得春风楼畔路，琵琶弹彻雁行斜。（瑶华善弹琵琶，负重名，为长安诸伶之冠）
鼙鼓渔阳感劫尘，莺花无复旧时春。（自去年变起，谢绝尘网，不复弹此调矣！）
潇潇暮雨徐娘怨，忆否江南梦里人。（沪上女校书徐琴仙亦擅琵琶。今老矣，犹零落风尘）
长安子弟叹飘零，（去年乱后，大半来沪）曾向红羊劫里经。
莫问开元太平曲，伤心回首旧门庭。

（原刊于上海《春江花月报》1902 年 1 月 29 日（光绪二十七年十二月二十日），署名惜霜。）

照红词客介香梦词人属题采菊图，为赋二十八字

田园十亩老烟霞，水绕篱边菊影斜。
独有闲情旧词客，春花不惜惜秋花。

（原刊于上海《笑林报》1902 年 10 月 2 日（光绪二十八年九月初一日），署名当湖惜霜。）

冬夜客感

纸窗吹破夜来风，砭骨寒添漏未终。
云掩月殢光惨白，帘飘烛影焰摇红。
无心难定去留计，有泪常抛梦寐中。
烦恼自寻休自怨，待将情事诉归鸿。

（原刊于上海《笑林报》1903年2月24日（光绪二十九年一月二十七日），署名惜霜仙史。）

天韵阁席上得句赠蘋香

沧海狂澜聒地流，新声怕听四弦秋。
如何十里章台路，只有花枝不解愁。
最高楼上月初斜，惨绿愁红掩映遮。
我欲当筵拼一哭，那堪重听后庭花。
残山剩水说南朝，黄浦东风夜卷潮。
河满一声惊掩面，可怜肠断玉人肃。

（原刊于铄镂十一郎《李蘋香》，1904年（光绪三十年）上海蒙化编译社出版。）

（本篇原无题，现题为编者所加。按内容，应作于1901年8月2日（光绪二十七年六月十七日），署名惜霜仙史。）

和补园赠天韵阁主人元韵

慢将别恨怨离居，一幅新愁和泪书。

梦醒扬州狂杜牧，风尘辜负女相如。
马缨一树个侬家，窗外珠帘映碧纱。
解道伤心有司马，不将幽怨诉琵琶。
伊谁情种说神仙，恨海茫茫本孽缘。
笑我风怀半消却，年来参透断肠禅。
闲愁检点付新诗，岁月惊心发已丝。
取次花丛懒回顾，休将薄倖怨微之。

（原刊于上海《春江花月报》1902年8月15日（光绪二十八年七月初二日），署名惜霜。）

（本篇又见《李蘋香》一书，题目为“和补园居士韵”。）

口占赠李蘋香

子女平分二十周，那堪更作狭邪游。只因第一伤心事，红粉英雄不自由！

（原刊于《李蘋香》一书《附论》中，署名三郎作。有注云：“三郎即新学中人。常约同志数辈至香处促膝谈心，某日至，有口占赠李蘋香诗。”三郎即李叔同，他有“三郎”之印。）

为沪学会撰文野婚姻新戏册既竟，系之以诗

床笫之私健者耻，为气任侠有奇女。
鼠子胆裂国魂号，断头台上血花紫。
东邻有儿背佝偻，西邻有女犹含羞。
蟪蛄宁识春与秋，金莲鞋子玉搔头。

河南河北间桃李，点点落红已盈咫。
自由花开八千春，是真自由能不死。
誓度众生成佛果，为现歌台说法身。
孟旃不作吾道绝，中原滚地皆胡尘。

（原刊于《醒狮》第二期，1905 年 10 月 28 日，署名惜霜。）

喝火令

故国今谁生？胡天月已西。朝朝暮暮笑迷迷，记否天津桥上杜鹃啼？记否杜鹃声里几色顺民旗？

（原刊于《国学唱歌集》，作于 1905 年。）

东京十大名士追荐会即席赋诗

苍茫独立欲无言，落日昏昏虎豹蹲。
剩却穷途两行泪，且来瀛海吊诗魂。
故国荒凉剧可哀，千年旧学半尘埃。
沈沈风雨鸡鸣夜，可有男儿奋袂来。

（原刊于《随鸥集》第 22 编，作于 1906 年 10 月。）

朝游不忍池

凤泊鸾飘有所思，出门怅惘欲何之。
晓星三五明到眼，残月一痕纤似眉。
秋草黄枯菡萏国，紫薇红湿水仙祠。

小桥独立了无语，瞥见林梢升曙曦。

（原刊于《随鸥集》第22编，作于1906年10月。）

题自作山茶花画小幅

回阑欲转，低弄双翘红晕浅。记得儿家，记得山茶一树花。

乙巳冬夜，息霜写于日京小迷楼。三郎（印）

原无题，此题为作者所拟。

满江红·民国肇造，填此志感

皎皎昆仑，山顶月，有人长啸。看囊底，宝刀如雪，恩仇多少。双手裂开鼷鼠胆，寸金铸出民权脑。算此生不负是男儿，头颅好。

荆轲墓，咸阳道；聂政死，尸骸暴。尽大江东去，余情还绕。魂魄化成精卫鸟，血花溅作红心草。看从今，一担好山河，英雄造。

（作于1912年1月。）

题丁慕琴绘黛玉葬花图

收拾残红意自勤，携锄替筑百花坟。
玉钩斜畔隋家塚，一样千秋冷夕曛。
飘零何事怨春归，九十韶光花自飞。
寄语芳魂莫惆怅，美人香草好相依。

（作于1912年。）

咏　菊

姹紫嫣红不耐霜，繁华一霎过韶光。
生来未藉东风力，老去能添晚节香。
风里柔条频损绿，花中正色自含黄。
莫言冷淡无知己，曾有渊明为举觞。

（作于1912年。）

人　病

人病墨池干，南风六月寒。
肺枯红叶落，身瘦白衣宽。
人世儿侪笑，当门景色阑。
昨宵梦王母，猛忆少年欢。

（原刊于《太平洋报》1912年7月23日，署名徵阳。）

题梦仙花卉横幅

梦仙大姊，幼学于王弢园先辈，能文章诗词。又就灵鹣京卿学，画宗七芗家法，而能得其神韵，时人以出蓝誉之。是画作于庚子九月，时余方奉母居城南草堂。花晨月夕，母辄招大姊说诗评画，引以为乐。大姊多病，母为治药饵，视之如己出。壬寅荷花生日大姊逝。越三年乙巳，母亦弃养。余乃亡命海外，放浪无赖。回忆曩日，家庭之乐，唱和之雅，恍惚殆若隔世矣。今岁幻园姻兄示此幅，索为题辞。余恫逝者之不作，悲生人之多艰。聊赋短什。以志哀思。

人生如梦耳，哀乐到心头。

洒剩两行泪，吟成一夕秋。

慈云渺天末，明月下南楼（今春过城南草堂旧址，楼台杨柳大半荒芜矣）。

寿世无长物，丹青片羽留。

甲寅秋七月，李息时客钱塘

（据手稿，作于1917年8月。）

玉连环影·为丏尊题小梅花屋图

屋老，一树梅花小。

住个诗人，添个新诗料。

爱清闲，爱天然。城外西湖，湖上有青山。

甲寅立春节，息翁

（据夏满子《（小梅花屋图）及其他》，原刊于《战地》增刊第六期，1979年9月，作于1914年。）

贻王海帆先生

孤山归寓，成小诗书扇，贻王海帆先生。

文字联交谊，相逢有宿缘（前年五月，南社同人雅集湖上，始识先生）。社盟称后学（先生长余三十二岁），科第亦同年（岁壬寅，余与先生同应浙江乡试，先生及第）。抚碣伤禾黍（今岁余侍先生游孤山，先生抚古墓碑，视“皇清”二字未磨灭，感喟久之），怡情醉管弦（孤山归来，顾曲于湖上歌台）。

西湖风月好，不慕赤松仙（近来余视见世为乐土，先生亦赞此说）。

（作于1914年。）

题陈师曾荷花小幅

师曾画荷花，昔藏余家。癸丑之秋，以贻听泉先生同学。今再展玩，为缀小词。时余将入山坐禅。慧业云云，以美荷花，亦以是自勖也。丙辰寒露。

一花一叶，孤芳致洁。昏波不染，成就慧业。

（作于1916年10月8日。）

附录1

联语题城南草堂

隐居求志

闭户著书

（原刊于《城南草堂笔记》，作于1900年。）

附录 2

诗钟　春江花月社第一期诗钟

钱　水烟筒

春江花月社第一期，为当湖惜霜仙史值课。月杪截卷，逾期不收。与课诸君可将大作缮写本社卷格，裁下，投送本馆。不取号金，不给收条。但卷末须各打小印，以便揭晓，凭领赠彩。有不用本社卷格以及两卷并写一格者，概从割爱。

（原刊于上海《春江花月报》1901 年 11 月 22 日（光绪二十七年十月十二日）。）

李叔同作品精选 · 长亭古道

李先生这《祖国歌》可说是提倡民族音乐最早先声。

——丰子恺

歌 词

哀祖国

小雅尽废兮，出车采薇矣。豺狼当途兮，人类其非矣。凤鸟兮，河图兮，梦想为劳矣；冉冉老将至兮，甚矣吾衰矣。

（原刊于《国学唱歌集》之《附录》，作于1905年。《觉民》第9—10合刊本（1904年7月25日）有一诗，与此大致相同，录如下：

小雅尽废兮，出车采薇兮。戎有中国兮，人类其非兮。明主不兴兮，吾谁与归兮。抱春秋以没世兮，甚矣吾衰矣。）

爱

爱河万年终不涸，来无源头去无谷。滔滔圣贤与英雄，天地毁时无终穷。愿我爱国家，愿国家爱我。愿国家爱我，灵魂不死者我。

（原刊于《国学唱歌集》之《附录》，作于1905年。）

化 身

化身恒河沙数，发大音声。尔时千佛出世，瑞霭氤氲。欢喜欢喜人天，梦醒兮不知年。翻倒四大海水，众生皆仙。

（原刊于《国学唱歌集》之《附录》，作于1905年。）

男 儿

男儿自有千古，莫等闲觑。孔、佛、耶、回精谊，道毋陂岐。发大愿作教皇，我当炉冶群贤。功被星球十方，赞无数年。

（原刊于《国学唱歌集》之《附录》，作于1905年。）

婚姻祝辞

《诗》三百，《关雎》第一，伦理重婚姻。夫妇制定家族成，进化首人群。天演界，雌雄淘汰，权力要平分。遮莫说男尊女卑，同是一般国民。

（原刊于《国学唱歌集》之《附录》，作于1905年。）

祖国歌①

上下数千年，一脉延，文明莫与肩。纵横数万里，膏腴地，独享天然利。国是世界最古国，民是亚洲大国民。乌乎大国民，乌乎，唯我大国民！幸生珍世界，琳琅十倍增声价。我将骑狮越昆仑，驾鹤飞渡太平洋，谁与我仗剑挥刀？乌乎，大国民，谁与我鼓吹庆升平！

（此诗原见《新民丛报》第三年第三号，1904年7月26日出版，又见上海《时报》1904年9月1日，均未署名，疑非李叔同所作，为保留文本以便于研究，此处仍保留。详见郭长海《〈祖国歌〉等诗非李叔同所作考》一文，载《弘一大师新论》，西泠印社，2000年2月。）

追悼李节母之哀辞

松柏兮翠蕤，凉风生德闱。
母胡弃儿辈，长逝竟不归！
儿寒谁复恤？儿饥谁复思？
哀哀复哀哀，魂兮归乎来！

（原刊于天津《大公报》1905年7月24日，未署名。）

---

① 本首歌曲由李叔同选曲并作词，一九〇五年春作于上海城南草堂，系沪学会补可科用歌。

我的国

东海东，波涛万丈红。朝日丽天，云霞齐捧，五洲惟我中央中。二十世纪谁称雄，请看赫赫神明种。我的国，我的国，我的国万岁，万岁万万岁。

昆仑峰，缥缈千寻耸。明月天心，乘星环拱，五洲惟我中央中。二十世纪谁称雄，请看赫赫神明种。我的国，我的国，我的国万岁，万岁万万岁。

（原刊于《音乐小杂志》第一期，1906年2月，署名息霜。）

春郊赛跑

跑跑跑，看是谁先到。杨柳青青，桃花带笑。万物皆春，男儿年少。跑！跑！跑！跑！跑！锦标夺得了。

（原刊于《音乐小杂志》第一期，1906年2月，署名息霜。）

隋堤柳（仿词体）

甚西风吹醒隋堤衰柳，江山非旧？只风景依稀凄凉时候。零星旧梦半沉浮，说阅尽兴亡遮难回首。昔日珠帘锦幙，有淡烟一抹纤月盈钩。

剩水残山故国秋，知否知否？眼底离离麦秀，说甚无情，情丝踠到心头。杜鹃啼血哭神州，海棠有泪伤秋瘦。深愁浅愁，难消受，谁家庭院笙歌又。

（原刊于《音乐小杂志》第一期。1906年2月，署名息霜。）

此歌仿词体，实非正轨。作者别有枨触，走笔成之。吭声发响，其音苍凉，如闻山阳之笛。《乐记》云："其哀心感者，声噍以杀"，殆其类欤！

直隶省立第一师范附属小学校歌

文昌在天，文明之光。地灵人杰，效师长；初学根本，实切强；精神腾跃，成文章。君不见，七十二沽水，源远流长。

（原刊于宋廷璋《李叔同早年撰写的一首小学校歌》，见《李叔同——弘一法师》一书，天津古籍出版社，1988 年。作于清末，具体写作时间不详。）

大中华

万岁、万岁、万岁，赤县膏腴神明裔。地大物博，相生相养，建国五千余岁。振衣昆仑之巅，濯足扶桑之澨；山川灵秀所钟，人物光荣永垂。猗欤哉，伟欤哉，仁风翔九畿；猗欤哉，伟欤哉，威灵振四夷！万岁，万岁，万万岁！

（原刊于丰子恺编《李叔同歌曲集》，1958 年音乐出版社。）

春　游

春风吹面薄于纱，春人妆束淡于画。
游春人在画中行，万花飞舞春人下。
梨花淡白菜花黄，柳花委地芥花香。
莺啼陌上人归去，花外疏钟送夕阳。

（原刊于《白阳》1913 年，署名息霜。）

早　秋

十里明湖一叶舟，城南烟月水西楼。几许秋容娇欲流，隔着垂杨柳。远山明净眉尖瘦，闲云飘忽罗纹绉。天末凉风送早秋，秋花点点头。

（自此首以下至《晚钟》共20首歌词，都见于丰子恺编《中文名歌五十曲》，1928年8月开明书店出版。作于1913年至1918年间。《弘一大师全集》第7卷收录弘一大师歌曲时，误处很多，故不以其为校勘。）

送　别

长亭外，古道边，芳草碧连天。晚风拂柳笛声残，夕阳山外山。天之涯、地之角，知交半零落；一瓢浊酒尽余欢，今宵别梦寒。长亭外，古道边，芳草碧连天。晚风拂柳笛声残，夕阳山外山。

忆儿时

春去秋来，岁月如流，游子伤飘泊。回忆儿时，家居嬉戏，光景宛如昨。茅屋三椽，老梅一树，树底迷藏捉。高枝啼鸟，小川游鱼，曾把闲情托。儿时欢乐，斯乐不可作，儿时欢乐，斯乐不可作。

（一九一二年春作于上海）

人与自然界

（三部合唱）

严冬风雪擢贞干，逢春依旧郁苍苍。吾人心志宜坚强，历尽艰辛不磨灭，惟天降福俾尔昌！

浮云掩星星无光，云开光彩逾芒芒。吾人心志宜坚强，历尽艰辛不磨灭，惟天降福俾尔昌！

初　夜

眉月一弯夜三更，画屏深处宝鸭篆烟青。唧唧唧唧，唧唧唧唧，秋虫绕砌鸣。小簟凉多睡味清。

月

仰碧空明明，朗月悬太清。瞰下界扰扰，尘欲迷中道。

惟愿灵光普万方，荡涤垢滓扬芬芳。虚渺无极，圣洁神秘，灵光常仰望。

惟愿灵光普万方，荡涤垢滓扬芬芳。虚渺无极，圣洁神秘，灵光常仰望。

仰碧空明明，朗月悬太清。瞰下界暗暗，世路多愁叹。

惟愿灵光普万方，拔除痛苦散清凉。虚渺无极，圣洁神秘，灵光常仰望。

惟愿灵光普万方，拔除痛苦散清凉。虚渺无极，圣洁神秘，灵光常仰望。

朝　阳

观朝阳耀灵东方兮，灿庄严伟大之荣光。彼长眠之空暗暗兮，流绛彩以辉煌。惟神，惟神，创造世界，创造万物，锡予光明，锡予幸福无疆。观朝阳耀灵东方兮，感神恩之久长。

观朝阳耀灵东方兮，灿庄严伟大之荣光。彼瞑想之海沉沉兮，荡金波以飞扬。惟神，惟神，惟神，创造世界，创造万物，锡予光明，锡予幸福无疆。观朝阳耀灵东方兮，感神恩之久长。

落　花

纷，纷，纷，纷，纷，纷，……惟落花委地无言兮，化作泥尘。

寂，寂，寂，寂，寂，寂，……何春光长逝不归兮，永绝消息。

忆春风之日暄，芳菲菲以争妍。既垂荣以发秀，倏节易而时迁；春残。览落红之辞枝兮，伤花事其阑珊。已矣！

春秋其代序以递嬗兮，俯念迟暮。荣枯不须臾，盛衰有常数！人生之浮年若朝露兮，泉壤兴衰。朱华易消歇，青春不再来。

幽居

唯空谷寂寂，有幽人抱贞独。时逍遥以徜徉，在山之麓。抚磐石以为床，翳长林以为屋。眇万物而达观，可以养足。

唯清溪沉沉，有幽人怀灵芬。时逍遥以徜徉，在水之滨。扬素波以濯足，临清流以低吟。睇天宇之寥廓，可以养真。

天风

云瀚瀚，云滃滃，拥高峰。气葱葱，气葱葱，极。苍耸耸，苍耸耸，凌绝顶。侧足缥缈乘天风。咳唾生明珠，吐气嘘长虹。俯视培之垒垒，烟斑黛影半昏蒙。仰视寥廓之明明，天风回碧空。

天风荡吾心魄兮，绝于尘埃之外，游神太虚。天风振吾衣袂兮，超乎万物之表，与世长遗。

漭洋洋，漭洋洋，浮巨溟。纷曚曚，纷曚曚，接苍穹。浪汹汹，浪汹汹，攒釯锋。扬泄汗漫乘天风。散发粲云霞，长啸惊蛟龙。俯视积流之茫茫，百川四渎齐朝宗。俯观寥廓之明明，天风回碧空。

天风荡吾心魄兮，绝于尘埃之外，游神太虚。天风振吾衣袂兮，超乎万物之表，与世长遗。

冬

一帘月影黄昏后，疏林掩映梅花瘦。墙角嫣红点点肥，山茶开几枝。小阁明窗好伴侣，水仙凌波淡无语。岭头不改青葱葱，独有后凋松。

丰年

五日一风，十日一雨，太平乐利赓多黍。谷我妇子，娱我黄耇，欢腾熙洽歌大有。年丰国昌，惟天降德垂嘉祥。穰穰穰穰穰穰，岁复岁兮富康。

我仓既盈，我庾惟亿，颂声载路庆丰给。万宝告成，万物生茂，跻堂称觞介眉寿。年丰国昌，惟天降德垂嘉祥。穰穰穰穰穰穰，岁复岁兮富康。

长逝

看今朝树色青青，奈明朝落叶凋零。看今朝花开灼灼，奈明朝落红飘泊。惟春与秋其代序兮，感岁月之不居。老冉冉以将至，伤青春其长逝。

莺

喜春来日暖风和，园林花放新莺啼。喜春来日暖风和，园林花放新莺啼。听花间清音百啭，呖呖，呖呖。听花间清音百啭，呖呖，呖呖，呖呖，呖呖，呖呖，呖呖，呖呖。

归燕

几日东风过寒食，秋来花事已阑珊。疏林寂寂双燕飞，低徊软语语呢喃。呢喃，呢喃，雕梁春去梦如烟。绿芜庭院罢歌弦，乌衣门巷捐秋扇。树杪斜阳淡欲眠，天涯芳草离亭晚。不如归去归故山，故山隐约苍漫漫。呢喃，呢喃，不如归去归故山。

西湖

（三部合唱）

看明湖一碧，六桥锁烟水。塔影参差，有画船自来去。垂杨柳两行，绿染长堤。飏晴风，又笛韵悠扬起。看青山四围高峰南北齐。山色自空濛，有竹木媚幽姿。探古洞烟霞，翠扑须眉雪暮雨，又钟声林外起。

看明湖一碧，六桥锁烟水。塔影参差，有画船自来去，垂柳两行，绿染长堤。飏晴风，又笛韵悠扬起。大好湖山美如此，独擅天然美。明湖碧无际，又青山绿作堆。漾晴光潋滟，带雨色幽奇。靓妆比西子，尽浓淡总相宜。

采 莲

采莲复采莲，莲花莲叶何蹁跹！露华如珠月如水，十五十六清光圆。采莲复采莲，莲花莲叶何蹁跹。

梦

哀游子茕茕其无依兮，在天之涯。惟长夜漫漫而独寐兮，时恍惚以魂驰。梦偃卧摇篮以啼笑兮，似婴儿时。母食我甘饹与粉饵兮，父衣我以彩衣。月落乌啼，梦影依稀，往事知不知？汩半生哀乐之长逝兮，感亲之恩其永垂。

哀游子怆怆而自怜兮，吊形影悲。惟长夜漫漫而独寐兮，时恍惚以魂驰。梦挥泪出门辞父母兮，叹生别离。父语我眠食宜珍重兮，母语我以早归。

月落乌啼，梦影依稀，往事知不知？汩半生哀乐之长逝兮，感亲之恩其永垂。

悲 秋

西风乍起黄叶飘，日夕疏林杪。花事匆匆，梦影迢迢，零落凭谁吊。镜里朱颜，愁边白发，光阴暗催人老。纵有千金，纵有千金，千金难买年少。

晚 钟

（三部合唱）

大地沉沉落日眠，平墟漠漠晚烟残。幽鸟不鸣暮色起，万籁俱寂丛林寒。浩荡飘风起天杪，摇曳钟声出尘表。绵绵灵响彻心弦，眑眑幽思凝冥杳。众生病苦谁持扶？尘网颠倒泥涂污。惟神悯恤敷大德，拯吾罪过成正觉；誓心稽首永皈依，瞑瞑入定陈虔祈。倏忽光明烛太虚，云端仿佛天门破；庄严七宝迷氤氲，瑶华翠羽垂缤纷。浴灵光兮朝圣真，拜手承神恩！仰天衢兮瞻慈云，忽现忽若隐。钟声沉暮天，神恩永存在。神之恩，大无外！

月 夜

纤云四卷银河净，梧叶萧疏摇月影。剪径凉风阵阵紧，暮鸦栖止未定。万里空明人意静。呀！是何处，敲彻玉磬，一声声清越度幽岭。呀！是何处，声相酬应，是孤雁寒砧并。想此时此际幽人应独醒，倚栏风冷。

（本首以下三首辑自钱君匋编《中国名歌选》，1928年9月开明书店出版。）

幽 人

深山之麓，三椽老茅屋，中有幽人抱贞独。当风且振衣，临流可濯足。放高歌震空谷，呜呜呜，呜呜呜。浊世泥涂污，浊世泥涂污。道孤道孤，行殊行殊。吾与天为徒，吾与天为徒。

春 夜

金谷园中，黄昏人静，一轮明月，恰上花梢。月圆花好，如此良宵，莫把这似水光阴空过了！英雄安在，荒塚萧萧。你试看他青史功名，你试看他朱门锦绣，繁华如梦，满目蓬蒿！天地逆旅，光阴过客，无聊。倒不如闲非闲是尽抛去，逍遥。倒不如花前月下且游遨，将金樽倒。海棠睡去，把红烛烧；荼蘼开未，把羯鼓敲。莫教天上嫦娥将人笑。

秋 夜

日落西山，一片罗云隐去。万种情怀，安排何处？却妆出嫦娥，玉宇琼楼缓步。天高气清，满庭风露。问耿耿银河，有谁引渡。四壁凉蛩，如来相语。尽遣了闲愁，聊共月华小住。如此良宵，人生难遇！

寒蝉吟罢，蓦然萤火飞流。夜凉如水，月挂帘钩。爱星河皎洁，今宵雨敛云收。虫吟侑洒，扫尽闲愁。听一枝长笛，有谁人倚楼。天涯万里，情思悠悠。好安排枕簟，独寻睡乡优游。金风飒飒，底事悲秋？

李叔同作品精选 · 浮生真谛

苦行头陀重，遗风艺苑思。自知心是佛，常以戒为师。

——马一浮

格言别录

依格言联璧录写

学问类

凛闲居以体弱。卜动念以知几。谨威仪以定命。敦大伦以凝道。备百行以考德。迁善改过以作圣。（刘忠介《人谱》六条。）观天地生物气象。学圣贤克己工夫。

存养类

宜静默。宜从容。宜谨严。宜俭约。

德退是保身第一法。安详是处事第一法。涵容是待人第一法。恬淡是养心第一法。

刘念台云：涵养全得一缓字。凡言语动作皆是。应事接物，常觉得心中有从容闲暇时，才见涵养。

刘念台云：易喜易怒。轻言轻动。只是一种浮气用事。此病根最不小。

吕新吾云：心平气和四字，非有涵养者不能做。工夫只在个定火。

陈榕门云：定火工夫，不外以理制欲。理胜，则气自平矣。

以和气迎人则乖沴灭。以正气接物则妖气消。以浩气临事则疑畏释。以静气养身则梦寐恬。

轻当矫之以重。浮当矫之以实。褊当矫之以宽。躁急当矫之以和缓。刚暴当矫之以温柔。浅露当矫之以沉潜。谿刻当矫之以浑厚。

尹和清云：莫大之祸，皆起于须臾之不能忍。不可不谨。

逆境顺境，看襟度。临喜临怒，看涵养。

自家有好处，要掩藏几分，这是涵育以养深。别人不好处，要掩藏几分，这是浑厚以养大。

以虚养心。以德养身。以仁养天下万物。以道养天下万世。

动于欲，欲速则昏。一任乎气，气偏则戾。

刘直斋云：存心养性，须要耐烦耐苦耐惊耐怕，方得纯熟。

寡欲故静。有主则虚。

不为外物所动之谓静。不为外物所实之谓虚。

敬守此心则心定。敛抑其气则气平。

青天白日的节义，自暗室屋漏中培来。旋乾转坤的经纶，自临深履薄处得力。

气忌盛。心忌满。才忌露。

意粗性躁，一事无成。心平气和，千祥骈集。

冲繁地，顽钝人，拂逆时，纷杂事。此中最好养火。若决烈愤激，不但无益。而事卒以偾，人卒以怨，我卒以无成。是谓至愚。耐得过时，便有无限受用处。人性褊急则气盛，气盛则心粗，心粗则神昏。乖舛谬戾，可胜言哉。

自处超然，处人蔼然。无事澄然，有事斩然。得意淡然，失意泰然。

持躬类

聪明睿知，守之以愚。道德隆重，守之以慎。

富贵，怨之府也；才能，身之灾也；声名，谤之媒也；欢乐，悲之渐也。

只是常有惧心，退一步做，见益而思损，持满而思溢，则免于祸。

人生最不幸处，是偶一失言而祸不及，偶一失谋而事幸行，偶一恣行而获小利。后乃视为故常，而恬不为意。则莫大之患，由此生矣。

学一分退让，讨一分便宜。增一分享用，减一分福泽。

不自重者取辱。不自畏者招祸。

盖世功劳，当不得一个矜字。弥天罪恶，当不得一个悔字。

事当快意处，须转。言到快意时，须住。

殃咎之来，未有不始于快心者。故君子得意而忧，逢喜而惧。

物忌全胜。事忌全美。人忌全盛。

安莫安于知足。危莫危于多言。

行己恭。责躬厚。接众和。立心正。进道勇。择友以求益。改过以全身。

心不妄念，身不妄动，口不妄言，君子所以存诚。内不欺己，外不欺人，上不欺天，君子所以慎独。

心术以光明笃实为第一。容貌以正大老成为第一。言语以简重真切为第一。

平生无一事可瞒人，此是大快乐。

以情恕人。以理律己。

以恕己之心恕人，则全交。以责人之心责己，则分过。

唐荆川云：须要刻刻检点自家病痛。盖所恶于人许多病痛处若真知反己，则色色有之也。

缓字可以免悔。退字可以免祸。

大着肚皮容物。立定脚跟做人。

尽前行者地步窄。向后看者眼界宽。

花繁柳密处拨得开，方见手段。风狂雨骤时立得定，才是脚跟。

人当变故之来，只宜静守，不宜躁动。即使万无解救，而志正守确，虽事不可为，而心终可白。否则必致身败而名亦不保，非所以处变之道。

步步占先者，必有人以挤之。事事争胜者，必有人以挫之。

度量如海涵春育。持身如玉洁冰清。襟抱如光风霁月。气概如乔岳泰山。

心志要苦，意趣要乐。气度要宏，言动要谨。

书有未曾经我读。事无不可对人言。

心思要缜密，不可琐屑。操守要严明，不可激烈。

聪明者戒太察。刚强者戒太暴。

以淡字交友。以齐字止谤。以刻字责己。以弱字御侮。

居安虑危。处治思乱。

事事难上难，举足常虞失坠。件件想一想，浑身都是过差。

怒宜实力消融。过要细心检点。

事不可做尽。言不可道尽。

胡文定公云：人家最不要事事足意，常有些不足处方好。才事事足意，便有不好事出来。历试历验。

邵康节诗云：好花看到半开时，最为亲切有味。

精细者，无苛察之心。光明者，无浅露之病。

识不足则多虑。威不足则多怒。信不足则多言。

足恭伪态，礼之贼也。苛察歧疑，智之贼也。

敦品类

敦诗书，尚气节，慎取与，谨威仪。此惜名也。竞标榜，邀权贵，务矫激，习模棱。此市名也。惜名者静而休。市名者躁而拙。

辱身丧名，莫不由此。求名适所以坏名。名岂可市哉。

处事类

处难处之事，愈宜宽。处难处之人，愈宜厚。处至急之事，愈宜缓。

必有容，德乃大。必有忍，事乃济。

吕新吾云：做天下好事。既度德量力，又审势择人。专欲难成众怒难犯，此八字不独妄动邪为者宜慎。虽以至公无私之心，行正大光明之事，亦须调剂人情，兹明事理，俾大家信从，然后动有成，事可久。盖群情多暗于远识，小人不便于私己，群起而坏之，虽有良法胡成胡久。

强不知以为知，此乃大愚。本无事而生事，是谓薄福。

白香山诗云：我有一言君记取，世间自取苦人多。

无事时，戒一偷字。有事时，戒一乱字。

刘念台云：学者遇事不能应，总是此心受病处。只有炼心法，更无炼事法。炼心之法，大要只是胸中无一事而已。无一事，乃能事事。此是主静工夫得力处。

处事大忌急躁。急躁则先自处不暇，何暇治事。

论人当节取其长，曲谅其短。做事必先审其害，后计其利。

无心者公。无我者明。

接物类

持己当从无过中求有过，非独进德，亦且免患。待人当于有过中求无过，非但存厚，亦且解怨。

何以息谤，曰无辩。何以止怨，曰不争。

人之谤我也，与其能辩，不如能容。人之侮我也，与其能防，不如能化。

张梦复云：受得小气，则不至于受大气。吃得小亏，则不至于吃大亏。

又云：凡事最不可想占便宜。便宜者，天下人之所共争也。我一人据之，则怨萃于我矣。我失便宜，则众怨消矣。故终身失便宜，乃终身得便宜也。此余数十年阅历有得之言。其遵守之，毋忍。余生平未尝多受小人之侮。只有一善策，能转湾早耳。忍与让，足以消无穷之灾悔。古人有言，终身让路，不失尺寸。

任难任之事，要有力而无气。处难处之人，要有知而无言。

穷寇，不可追也。遁辞，不可攻也。

恩怕先益后损。威怕先松后紧。先益后损，则恩反为仇，前功尽弃。先松后紧则管束不下，反招怨怒。

善用威者不轻怒。善用恩者不妄施。

轻信轻从，听言之大戒也。愈激愈厉，责善之大戒也。

吕新吾云：愧之，则小人可使为君子。激之，则君子可使为小人。

激之而不怒者，非有大量，必有深机。

处事须留余地，责善切戒尽言。

曲木恶绳，顽石恶攻。责善之言，不可不慎也。

吕新吾云：责善，要看其人何如。又当尽长善救失之道。无指摘其所忌，无尽数其所失，无对人，无峭直，无长言，无累言。犯此六戒，虽忠告，非善道矣。

又云：论人须带三分浑厚。非直远祸，亦以留人掩盖之路，触人悔悟之机，养人体面之余。犹天地含蓄之气也。

使人敢怒而不敢言者，便是损阴骘处。

凡劝人，不可遽指其过。必须先美其长。盖人喜则言易入，怒则言难入也。善化人者，心诚色温，气和词婉，容其所不及而谅其所不能，恕其所不知而体其所不欲，随事讲说，随时开导。彼乐接引之诚而喜于所好，感督责之宽而愧其不材，人非木石未有不长进者。我若嫉恶如仇，彼亦趋死如骛，虽欲自新而不可得，哀哉。

先哲云：觉人之诈，不形于言。受人之侮，不动于色。此中有无穷意味，亦有无限受用。

论人之非，当原其心，不可徒泥其迹。取人之善，当据其迹，不必深究其心。

吕新吾云：论人情，只向薄处求。说人心，只从恶边想。此是私而刻底念头。非长厚之道也。

修己以清心为要。涉世以慎言为先。

恶莫大于纵己之欲。祸莫大于言人之非。

施之君子，则丧吾德。施之小人，则杀吾身。(案此指言人之非者)

人褊急，我受之以宽宏。人险仄，我待之以坦荡。

律己宜带秋气。处世须带春风。

盛喜中，勿许人物。盛怒中，勿答人书。

喜时之言，多失信。怒时之言，多失体。

静坐常思己过。闲谈莫论人非。

面谀之词，有识者未必悦心。背后之议，受憾者常若刻骨。

临事须替别人想。论人先将自己想。

惠不在大，在乎当厄。怨不在多，在乎伤心。

毋以小嫌疏至戚。毋以新怨忘旧恩。

刘直斋云：好合不如好散。此言极有理。盖合者始也，散者终也。至于好散，则善其终矣。凡处一事，交一人，无不皆然。

严着此心以拒外诱，须如一团烈火，遇物即烧。宽着此心以待同群，须如一片春阳，无人不暖。

凡一事而阅人终身，纵确见实闻。不可着口。凡一语而伤我长厚，虽闲谈戏谑，慎勿形言。

结怨仇，招祸害，伤阴骘，皆由于此。

遇事只一味镇定从容，虽纷若乱丝，终当就绪。待人无半毫矫伪欺诈，纵狡如山鬼，亦自献诚。

公生明。诚生明。从容生明。

公生明者，不蔽于私也。诚生明者，不杂以伪也。从容生明者，不淆于惑也。

穷天下之辩者，不在辩而在讷。伏天下之勇者，不在勇而在怯。

以仁义存心。以忍让接物。

林退斋临终，子孙环跪请训。曰：无他言，尔等只要学吃亏。

宽厚者，毋使人有所恃。精明者，不使人无所容。

喜闻人过，不若喜闻己过。乐道己善，何如乐道人善。

持身不可太皎洁，一切污辱垢秽要茹纳得。处世不可太分明，一切贤愚好丑要包容得。

精明，须藏在浑厚里作用。古人得祸，精明人十居其九。未有浑厚而得祸者。

德盛者，其心和平，见人皆可取，故口中所许可者多。德薄者，其心刻傲，见人皆可憎，故目中所鄙弃者众。

吕新吾云：世人喜言无好人，此孟浪语也。推原其病，皆从不忠不恕所致。自家便是个不好人，更何暇责备他人乎。

攻人之恶毋太严，要思其堪受。教人以善毋过高，当使其可从。

事有急之不白者，缓之或自明，毋急躁以速其戾。人有操之不从者，纵之或自化，毋苛刻以益其顽。

己性不可任，当用逆法制之，其道在一忍字。人性不可拂，当用顺法调之，其道在一恕字。

欲论人者先自论。欲知人者先自知。

凡为外所胜者，皆内不足。凡为邪所夺者，皆正不足。

今人见人敬慢，辄生喜愠心。皆外重者也。此迷不破，胸中冰炭一生。

小人乐闻君子之过。君子耻闻小人之恶。

此存心厚薄之分，故人品因之而别。

齐家类

从政类

惠吉类

群居守口。独坐防心。

造物所忌，日刻日巧。万类相感，以诚以忠。

谨卦六爻皆吉。恕字终身可行。

知足常足，终身不辱。知止常止，终身不耻。

明镜止水以澄心。泰山乔岳以立身。青天白日以应事。霁月光风以待人。

悖凶类

盛者衰之始。福者祸之基。

学问类

为善最乐。读书便佳。

茅鹿门云：人生在世，多行救济事。则彼之感我，中怀倾倒，浸入肝脾。

何幸而得人心如此哉。

诸君到此何为，岂徒学问文章，擅一艺微长，便算读书种子。

在我所求亦恕，不过子臣弟友，尽五伦本分，共成名教中人。（广州香山书院楹联）

何谓至行，曰庸行。何谓大人，曰小心。

附见持躬类

钱志驺，君子怀刑题文，开谚云。自恕之人，皆日蹈于刑而不知忧。日幸免于刑而不知愧。又收束二小比云。人方有欲自肆，几疑朝夕补救之迂。而孰知惟此制心之万保。人至无地自容、始悟名教从容之乐。而岂若先乎虑患之为安。学问有得之语，当从战兢惕励中来。真有功世道之文也。

佩玉编

明薛文清公读书录选

二十年治一怒字，尚未消磨的尽。以是知克己最难。

余每夜就枕，必思一日所行之事。所行合理，则恬然安寝。或有不合，即展转不能寐。思有以更其失，又虑始勤终怠也，因笔录自警。

深以刻薄为戒，每事当从忠厚。

宁人负我，毋我负人。此言当留心。

惟宽可以容人，惟厚可以载物。

导友善不纳，则当止。宜体此言。

不能感人，皆诚之未至。

学以静为本。

口念书而心他驰，难乎有得矣。

余于坐立方向器用安顿之类，稍有不正，即不乐。必正而后已，非作意为之，亦其性然。

一语妄发即有悔，可不慎哉！

不力行，只是学人说话。

程子作字甚敬。曰：只此是学。

凡取人，当舍其旧而图其新。自贤人以下，皆不能无过。或早年有过，中年能改。或中年有过，晚年能改。当不追其往，而图其新可也。若追究其往日之过，并弃其后来之善，将使人无迁善之门，而世无可用之材也。以是处心，刻亦甚矣。

大抵常人之情，责人太详，而自责太略。是所谓以圣人望人，以众人自待也。惑之甚矣！

作诗作文写字，疲弊精神，荒耗志气，而无得于己。惟从事于心学，则气完体胖，有休休自得之趣。惟亲历者知其味，殆难以语人也。

开卷即有与圣贤不相似处。可不勉乎？

欲以虚假之善，盖真实之恶。人其可欺，天其可欺乎？

人有负才能而见于辞貌者，其小也可知矣。

觉人诈，而不形于言，最有味。

戒太察，太察则无含弘之气象。

行有不得，皆反求诸己。

少陵诗曰：水流心不竞，云在意俱迟。从容自在，可以形容有道者之气象。

有于一事心或不快，遂于别事处置失宜，此不敬之过也。

往时怒，觉心动。近觉随怒随休，而心不为之动矣。

轻当矫之以重，急当矫之以缓。褊当矫之以宽，躁当矫之以静。暴当矫之以和，粗当矫之以细。察其偏者而悉矫之，久则气质变矣。

陶渊明曰：此亦人子也，可善遇之。（案此指奴婢而言）

处事大宜心平气和。

行七八分，言二三分。

处事不可使人知恩。

旧习最害事。吾欲进，彼则止吾之进。吾欲新，彼则汩吾之新。甚可恶，当刮绝之。

为学时时处处是做工夫处。虽至卑至陋处，皆当存谨畏之心，而不可忽。且如就枕时，手足不敢妄动，心不敢乱想，这便是睡时做工夫，以至无时无事不然。

英气甚害事。浑涵不露圭角最好。

第一要有浑厚包涵从容广大之气象。促迫、褊窄、浅率、浮躁，非有德之气象。只观人气象，便知其涵养之浅深。

余觉前二十年之功，不如近时切实而有味。

寡欲，省多少劳扰。

只寡欲，便无事。无事，心便澄然矣。

密汝言，和汝气。

余少时学诗学字，错用工夫多。早移向此，庶几万一。

省察之功，不可一时而或怠。诗曰：夙夜匪懈。其斯之谓欤?!

敬字、一字、无欲字，乃学者至要至要。余近日甚觉敬与无欲之力。

观人之法，只观含蓄，则浅深可见。

方为一事，即欲人知，浅之尤者。

时然后言，惟有德者能之。

古人衣冠伟博，皆所以庄其外而肃其内。后人服一切简便短窄之衣，起居动静惟务安适。外无所严，内无所肃。鲜不习而为轻佻浮薄者。

守约者，心自定。

待人当宽而有节。

处己接物，事上使下，皆当以敬为主。

圣人言人过处，皆优柔不迫，含蓄不露。此可以观圣人之气象。

曾子曰：战战兢兢，如临深渊，如履薄冰。君子之守其身，可不慎乎?

必使一言不妄发，则庶几寡过矣。

珠藏泽自媚，玉蕴山含辉。此涵养之至要。

慎言谨行，是修己第一事。

气质极难变，十分用力，犹有变不尽者。然亦不可以为难变，而遂懈于用力也。

小人不可与尽言。

导人以善，不可则止。其知几乎!

言要缓，行要徐，手要恭，立要端。以至作事有节，皆不暴其气之事。

轻诺则寡信。

为学第一在变化气质。不然，只是讲说耳。

人誉之，使无可誉之实，不可为之加喜。人毁之，使无可毁之实，不可为之加戚。惟笃于自信而已。

轻言则人厌，故谨言为自修之要。

识量大，则毁誉欣戚不足以动其中。

人不知而不愠，最为难事。今人少被人侮慢，即有不平之意，是诚德之未至也。无深远之虑，乐浅近之事者，恒人也。

刘立之谓从明道年久，未尝见其有暴厉之容，宜观明道之气象。

圣人教人，只是文行忠信，未尝极论高远。

教人言理太高，使人无可依据。

人犹知论人之是非，而己之是非则不知也。

心无所主，即动静皆失其中。

犯而不校，最省事。

只可潜修默进，不可求人知。

中人以上，可以语上也。中人以下，不可以语上也。须谨守此训，斯无失言之过。

放下一切外物，觉得心闲省事。

交人而人不敬信者，只当反求诸己。

凡事皆当推功让能与人，不可有一毫自德自能之意。

人不能受言者，不可妄与一言。

中人以上，可以语上。中人以下，不可与语上。教人者当谨守此言。与人谈论，亦当谨守此言。

待人当宏而有节。

大抵少能省己之失，惟欲寻人之失。是所谓不攻己之恶，而攻人之恶，大异乎圣人之教矣。

人不谋诸己，而强为之谋，彼即不从，是谓失言。日用间此等甚多，人以为细事而不谨，殊不知失言之责，无小大也。谨之！

日用间纤毫事，皆当省察谨慎。

元城刘忠定力行不妄语三字，至于七年而后成。力行之难如此，而亦不可不勉也。

句句着落不脱空，方是谨言。

温公谓：诚自不妄语始。信哉斯言也。

信口乱谈者，无操存省察之功也。

读正书，明正理，亲正人，存正心，行正事，斯无不正矣。

宴安之私，最难克。

宴安鸩毒，此言当深省。

名节至大，不可妄交非类以坏名节。

简默凝重以持己。

一善不可妄发，一事不可妄动。

日间时时刻刻，紧紧于自己身心上存察用力，不可一毫懈怠。

细思，处事最难。

信而后谏，未信则以为谤己也。君臣朋友皆然，可不慎哉！

闻外议，只当自修自省。

程子曰：省躬克己不可无，亦不可常留在心作悔。盖常留在心作悔，则心体为所累，而不能舒泰也。

潜修不求人知，理当如此。

汲汲自修不及，何暇责人。不自修而责人，舍其田而耘人之田也。

张子曰：学至于不责人，其学进矣。此言当身体而力行之。愚屡言及此而不厌其烦者，亦欲深省而实践之也。

正己者乃能正人。未有枉己而能正人者也。

既往之非不可追，将来之非不可作。此吾之自省也。

卫武公蘧伯玉皆以高年而笃于进修，诚可为后世法。

常存不如人之心则有进。

卫武公年九十五，犹作懿戒以自警。

孔子曰：焉用杀，论语二十篇，无以杀字论为政者。圣人之仁心大矣。

论语一书，未有言人之恶者。熟读之，可见圣贤之气象。

人之威仪，须臾不可不严整，盖有物有则也。

心每有妄发，即以经书圣贤之言制之。

孔子言有恒者难见。验之人，信然。

不能动人，惟责己之诚有未至。

不怨天，不尤人，理当如是。

颜子终日不违如愚。喋喋多言，而能存者寡矣。

恕字用之不尽。

不迁怒工夫甚难。惟尝用力者知之，然亦不可不勉。

欲寡其过而未能之意，时时不可忘。此实修己之要也。

清三韩梁瀛侯日省录选

唐尧戒云：战战栗栗，日谨之一日。人莫踬于山而踬于垤。

武王书履云：行必履正，无怀侥幸。又书锋云：忍之须臾乃全汝躯。又衣铭云：桑蚕苦，女工难，得新绢故后必寒。

金人铭云：古之慎言人也，戒之哉！戒之哉！无多言，多言多败。无多事，多事多患。安乐必戒，无行所悔，勿谓何伤。其祸将长，勿谓何害。其祸将大，勿谓不闻。神将伺人焰焰不灭，炎炎若何涓涓不壅，终为江河，绵绵不绝。或成网罗，毫末不札，将寻斧柯诚能慎之，福之根也。口是何伤，祸之门也。强梁者不得其死，好胜者必遇其敌。盗憎主人，民怨其上。君子知天下之不可上也，故下之。知众人之不可先也，故后之。温恭慎德，使人慕之。执雌持下，人莫逾之。人皆趋彼，我独守此。人皆惑之，我独不徙。内藏我智，不示人技。我虽尊高，人莫我害。江海虽左，长于百川，以其下也。天道无亲，常与善人。戒之哉！

勿谓善小而不为，勿谓恶小而为之。

人生一日，或闻一善言，见一善行，行一善事，此日方不虚生。

有一言而伤天地之和，一事而折终身之福者。切须检点。

耳中常闻逆耳之言，心中常有拂心之事，才是进德修业的砥石。若言言悦耳，事事快心，便把此身埋在鸩毒中矣。

薛文清曰：心如镜，敬如磨镜。镜才磨，则尘垢去而光彩发。心才敬，则人欲清而天理明。识得破，忍不过。说得硬，守不定。笑前辙，忘后跌。轻千乘，豆羹竞。讳疾忌医，掩耳偷铃。论人甚明，视己甚昧。得时夸能，不遇妒世，此人情之通患也。

无事，便思有闲杂妄想否。有事，便思有粗浮意气否。得意，便思有骄矜辞色否。失意，便思有怨望情怀否。

天薄我以福，吾厚吾德以迓之。天劳我以形，吾逸吾心以补之。天阨我以遇，吾亨吾道以通之。天且奈我何哉！

变化气质，居常无所见，惟当利害经变。故遭屈辱，平时愤怒者，到此能不愤怒，忧惶失措者，到此能不忧惶失措。始有得力处，亦便是用力处。

英气甚害事，浑涵不露圭角最好。

人虽至愚，责人则明。虽有聪明，恕己则昏。常以责人之心责己，恕己之心恕人，不患不到圣贤地位。

语人之短不曰直，言人之恶不曰义。

人人赋畀，岂容一例苛求。事事凭天，未许预先打算。

毋以小嫌疏至亲，毋以新怨忘旧恩。

马援戒子书曰：吾欲汝曹闻人过失，如闻父母之名，耳可得闻，口不可得言也。

林退斋官至尚书，临终，子孙跽请曰：大人何以训子孙？公曰：若等只要学我吃亏。

人家最不要事事足意，常有些不足处便好。人家才事事足意，便有不好事出来，亦消长之理然也。

君子于人，当于有过中求无过。不可于无过中求有过。

忠厚君子，刻薄小人，分途只在一心。

水至清则无鱼，人至察则无徒。

盛喜中勿许人物，盛怒中勿答人简。

御寒莫若重裘，止谤莫若自修。

一切顺逆得丧毁誉爱憎，要知宇宙古今圣贤凡民都有的，不必辄自惊异。

莫大之祸，于起须臾之不忍，不可不谨。

少陵时云：忍过事堪喜。

娄师德戒其弟曰：吾甚忧汝与人相竞。弟曰：人唾面，亦自拭之。师德曰：凡人唾汝，是其人怒，汝拭之，是逆其心，何不待其自干。

伊川见人论前辈之短曰：汝且取他长处。

晚晴集

若失本心，即当忏悔。忏悔之法，是为清凉。(《金刚三昧经》)

菩萨若能随顺众生，则为随顺供养诸佛。若于众生尊重承事，则为尊重承事如来。若令众生生欢喜者，则令一切如来欢喜。(《华严经·普贤行愿品》)

我若多瞋及怨结者，十方现在诸佛世尊皆应见我，当作是念：云何此人欲求菩提，而生瞋恚及以怨结？此愚痴人，以瞋恨故，于自诸苦不能解脱，何由能救一切众生？(《华严经·修慈分》)

迦叶白佛：我等从今，当于一切众生生世尊想，若生轻心，则为自伤。佛言：善哉快论。(《首楞严三昧经·依宝王论节文》)

应代一切众生受加毁辱，恶事向自己，好事与他人。(《梵网经》)

离贪嫉者，能净心中贪欲云翳，犹如夜月，众星围绕。(《理趣六波罗蜜多经》)

生死不断绝，贪欲嗜味故。养怨入丘冢，虚受诸辛苦！(《大宝积经富楼那会》)

是身如掣电，类乾闼婆城。云何于他人，数生于喜怒？(《诸法集要经》)

瞋恚之害，则破诸善法，坏好名闻，今世后世，人不喜见。(《佛遗教经》)

行少欲者，心则坦然，无所忧畏，触事有余，常无不足。(《佛遗教经》)

身、语、意业不造恶，不恼世间诸有情。正念观知欲境空，无益之苦当远离。(有部律周利槃陀伽尊者，三月不能诵得，即此伽陀也。)

名誉及利养，愚人所爱乐，能损害善法，如剑斩人头。(《有部律》)

世间色声香味触，常能诳惑一切凡夫，令生爱著。(智者大师)

瞋，是失佛法之根本；坠恶道之因缘；法乐之冤家；善心之大贼；种种恶口之府藏。(智者大师)

凡夫学道法，唯可心自知，造次向他道，他即反生诽。谛观少言说，人重德能成，远众近静处，端坐正思惟。但自观身行，口勿说他短，结舌少论量，默然心柔软。无知若聋盲，内智怀实货，头陀乐闲静。对修离懈惰。(道宣律师)

处众处独，宜韬宜晦。若哑若聋，如痴如醉。埋光埋名，养智养慧。随动随静，忘内忘外。（翠岩禅师）

我且问你，忽然临命终时，你将何抵敌生死？须是闲时办得下，忙时得用，多少省力。休待临渴掘井，做手脚不迭。前路茫茫，胡钻乱撞。苦哉！苦哉！（黄檗禅师）

鼻有墨点，对镜恶墨，但揩于镜，其可得耶？好恶是非，对之前境，不了自心，但尤于境，其可得耶？洗分别之鼻墨，则一镜圆净矣！万境咸真矣！执石成宝矣！众生即佛矣！（飞锡法师）

修行人大忌说人长短是非，乃至一切世事非干己者，口不可说，心不可思。但口说心思，便是昧了自己。若专炼心，常搜己过，那得工夫管他家屋里事？粉骨碎身，唯心莫动。收拾自心，如一尊木雕圣像，坐在堂中，终日无人亦如此！幡盖簇拥香花供养亦如此！赞叹亦如此！毁谤亦如此！修行人常常心上无事，时时刻刻体究自己本命元辰端的处。（盘山禅师）

元无我人，为谁贪瞋。（圭峰法师）

报缘虚幻，不可强为。浮世几何，随家丰俭。苦乐逆顺，道在其中。动静寒温，自愧自悔。（佛眼禅师）

学道人逐日但将检点他人底工夫，常自检点，道业无有不办。或喜或怒，或静或闹，皆是检点时节。（大慧禅师）

化人问幻士，谷响答泉声，欲达吾宗旨，泥牛水上行。（永明禅师）

千峰顶上一茅屋，老僧半间云半间，昨夜云随风雨去，到头不似老僧闲。（归宗芝庵禅师）

过去事已过去了，未来不必预思量，只今便道即今句，梅子熟时栀子香。（石屋禅师）

即今休去便休去，若觅了时无了时。（云峰禅师）

琐琐含生，营营来去者，等彼器中蚊蚋，纷纷狂闹耳！一化而生，再化而死，化海漂荡，竟何所之？梦中复梦，长夜冥冥，执虚为实，曾无觉日！不有

出世之大觉大圣，其孰与而觉之欤？（仁潮禅师）

纵宿业深厚，不能顿断；当方便制抑，自劝自心。（妙叶禅师）

放开怀抱，看破世间，宛如一场戏剧，何有真实？（莲池大师）

达宿缘之自致，了万境之如空，而成败利钝，兴味萧然矣！（莲池大师）

伊庵权禅师用功甚锐。至晚，必流涕曰：今日又只恁么空过！未知来日工夫如何？师在众，不与人交一言。（莲池大师）

畏寒时欲夏，苦热复思冬，妄想能消灭，安身处处同。草食胜空腹，茅堂过露居，人生解知足，烦恼一时除。（莲池大师）

人之过恶深重者，亦有效验。或心神昏塞转头即忘；或无事而常烦恼；或见君子而赧然消沮；或闻正论而不乐；或施惠而人反怨；或夜梦颠倒；甚则妄言失志，皆作孽之相也。苟一类此，即须奋发，舍旧图新，幸勿自误！（袁了凡）

只“强顺人情、勉就世故”八个字，误却你一生大事。道业未成，无常至速！急宜敛迹韬光，一心向道，不得再误！（西方确指）

深潜不露，是名持戒，若浮于外，未久必败。有口若哑，有耳若聋，绝群离俗，其道乃崇。（西方确指）

种种恶逆境界，尽情看作真实受益之处。名利、声色、饮食、衣服、赞誉、供养，种种顺情境界，尽情看作毒药毒箭。（蕅益大师）

将身心世界全体放下，作一超方特达之观。（蕅益大师）

善友罕逢，恶缘偏盛，非咬钉嚼铁。刻骨镂心，何以自拔哉？（蕅益大师）

何不趁早放下幻梦尘劳，勤修戒定智慧？（蕅益大师）

勿贪世间文字诗词，而碍正法！勿逐悭、贪、嫉妒、我慢、鄙覆习气，而自毁伤！（蕅益大师）

内不见有我，则我无能；外不见有人，则人无过；一味痴呆，深自惭愧！劣智慢心，痛自改革！（蕅益大师）

篱菊数茎随上下，无心整理任他黄，后先不与时花竞，自吐霜中一段香。

(诵帚禅师)

从今以后，愿遁世不见知而不悔，作一斋公斋婆，向厨房灶下安隐过日。今生不敢复作度人妄想。(彭二林)

幸赖善缘，得闻法要，此千生万劫转凡成圣之时。尚复徘徊歧路，乍前乍却，则更历千生万劫，亦如是而止耳！况辗转沦陷，更有不可知者哉？（彭二林)

轮转生死中，无须臾少息，犹复熙熙如登春台？曾不知佛与菩萨，为之痛心而惨目也！(彭二林)

汝信心颇深，但好张罗，及好游，好结交，实为修行一大障。祈沈潜杜默，则其益无量戒之！(印光法师)

汝是何等根机，而欲法法咸通耶？其急切纷扰，久则或致失心！（印光法师)

当主敬、存诚、于二六时中，不使有一念虚浮怠忽之相。及与世人酬酢，唯以忠恕为怀，则一切时，一切处，恶念自无从而起。(印光法师)

直须将一个死字，(原注云此字好得很) 挂到额颅上。(印光法师)

若善男子，善女人，闻说净土法门，心生悲喜，身毛为竖，如拔出者。当知此人，此过去宿命已作佛道来也。(《无量清净平等觉经》依迦才《净土论》引文)

汝今亦可自厌生死老病痛苦，恶露不浮，无可乐者！(《无量寿经》)

无忧恼处，我当往生。不乐阎浮提浊恶世也。(《观无量寿佛经》)

才有病患，莫论轻重，便念无常，一心待死。(善导大师)

我未曾见闻，慈悲而行恼，互共相瞋恚，愿生阿弥陀。若人如恒河，恶口加刀杖，如是皆能忍，则生清净土。(《诸法无行经》)

生宏律范，死归安养，平生所得，唯二法门。(灵芝元照律师)

凡闻恶声，则念阿弥陀佛以消禳之，愿一切人不为恶行；凡见善事，则念阿弥陀佛以赞助之，愿一切人皆为善行；无事则默念阿弥陀佛，常在目前，便

念念不忘；能如此者，其于净土决定往生。(王龙舒)

人生能有几时？电光眨眼便过！趁未老、未病、抖身心、拨世事；得一日光景，念一日佛名；得一时工夫，修一时净业；由他命终，我之盘缠预办，前程稳当了也。若不如此？后悔难追！(天如禅师)

如就刑戮；若在狴牢；怨贼所追；水火所逼；一心求救，愿脱苦轮。(天如禅师)

于此土声色诸境，作地狱想、苦海想、火宅想。诸宝物、作苦具想。饮食、衣服，如脓血铁皮想。(妙叶禅师)

此界释迦已灭，弥勒未生，贤圣隐伏。众生奔波苦海，犹失父之儿。若不以极乐愿王为归，谁为救护？(妙叶禅师)

闻教便行，奚待更劝？(妙叶禅师)

惟名闻利养；甜爱软贼；及瞋心瞋火；虽有佛力，不能救焉！行者当深加精进，以攘却之！(妙叶禅师)

又复当护人心，勿使夸嫌，动用自若；息世杂善；不贪名利；将过归己；捐弃伎能；惟求往生。(妙叶禅师)

娑婆有一爱之不轻，则临终为此爱所牵；矧多爱乎？极乐有一念之不一，则临终为此念所转；矧多念乎？(幽溪法师)

若生恩爱时，当念净土眷属无有情爱，何当得生净土？远离此爱。若生瞋恚时，当念净土眷属无有触恼，何当往生净土？得离此瞋。若受苦时，当念净土无有众苦，但受诸乐。若受乐时，当念净土之乐无央无待。凡历缘境，皆以此意而推广之，则一切时处无非净土之助行也。(幽溪法师)

如何说得娑婆苦？苦事纷纷等蝟毛！(西斋禅师)

当屏人独处，自办道业，以设像为师，经论为侣。(袁宏道)

五浊恶世寒热苦恼，秽相熏炙，不容一刻居住。(袁宏道)

问：人不信净土，恐只是本来福薄？答：此言甚是！(莲池大师)

余下劣凡夫，安分守愚，平生所务，惟是南无阿弥陀佛六字。今老矣！倘

有问者，必以此答。(莲池大师)

当生大欢喜，切勿怀忧恼，万缘俱放下，但一心念佛。往生极乐国，上品莲华生，见佛悟无生，还来度一切。(莲池大师)

世情淡一分，佛法自有一分得力。娑婆活计轻一分，生西方便有一分稳当。(蕅益大师)

弹指归安养，阎浮不可留。(蕅益大师)

归命大慈父，早出娑婆关。(蕅益大师)

世之最可珍重者；莫过精神；世之最可爱惜者，莫过光阴；一念净即佛界缘起，一念染即九界生因，凡动一念即十界种子，可不珍重乎？是日已过，命亦随减，一寸时光即一寸命光，可不爱惜乎？苟知精神之可珍重，则不浪用，则念念执持佛名。光阴不虚度，则刻刻熏修净业。(彻悟禅师)

悲哉众生！欲念未除，道根日坏。佛之视汝，将何以堪？(彭二林)

子等归向极乐，全须打得一副全铁心肠，外不为六尘所染；内不为七情所锢；污泥中便有莲华出现也。(彭二林)

莲华种子，荣悴由人。时不相待，珍重！珍重！(彭二林)

上品见佛速，下品见佛迟，虽有迟速异，终无退转时。参禅病著相，念佛贵断疑，实实有净土，实实有莲池。(张守约)

念阿弥陀佛，正觉圆满之名；观极乐世界，清净庄严之相；如此滞著，只怕未能切实；果能切实，则世间种种幻化妄缘，自当远离。(悟开禅师)

随忙随闲，不离弥陀名号。顺境逆境，不忘往生西方。(印光法师以下悉同)

诚与恭敬，实为超凡入圣，了生脱死，之极妙秘诀。

业障重、贪瞋盛、体弱、心怯，但能一心念佛，久之自可诸疾咸愈。

佛固不见弃于罪人，当承兹行以往生耳。

须信娑婆实实是苦，极乐实实是乐，深信佛言，了无疑惑。

应发切实誓愿，愿离娑婆苦，愿得极乐乐。其愿之切，当如堕厕坑之急求出离；又如系牢狱之切念家乡；己力不能自出，必求有大势力者提拔令出。

业识未消，三昧未成，纵谈理性，终成画饼。

入理深谈，且缓数年！

一句南无阿弥陀佛，只要念得熟，成佛尚有余裕！不学他法，又有何憾？

汝虽于净土法门，颇生信心；然犹有好高骛胜之念头，未能放下，而未肯以愚夫愚妇自命！

其有平日自命通宗通教，视净土若秽物，恐其污己者；临终多是手忙脚乱，呼爹叫娘。

汝妄想之心遍天遍地，不知息心念佛；所谓向外驰求，不知返照回光。

今见好心出家在家四众，多是好高骛远！不肯认真专修净业；总由宿世善根浅薄，今生未遇通人。

当今之时，其世道局势，有如安卧积薪之上，其下已发烈火；尚犹悠忽度日，不专志求救于一句佛号。其知见之浅近甚矣！

心跳恶梦，乃宿世恶业所现之兆；然现境虽有善恶，转变在乎自己；恶业现而专心念佛，则恶因缘为善因缘。

当恪守净宗列祖成规，持斋念佛，改恶修善，知因识果，植福培德；以企现生消除业障，临终正念往生；庶不虚此一生，及亲为如来弟子耳。

但当志心念佛，以消旧业；断不可起烦燥心，怨天尤人。

具缚凡夫，若无贫穷疾病等苦，将日奔驰于声色名利之场而莫之能已！谁肯于得意烜赫之时，回首作未来沉溺之想乎？

欲得佛法实益，须向恭敬中求，有一分恭敬，则消一分罪业，增一分福慧。

念佛，要时常作将死、将堕地狱想；则不恳切亦自恳切，不相应亦自相应；以怖苦心念佛，即是出苦第一妙法：亦是随缘消业第一妙法。

末世众生，无论有善根，无善根，皆当决定专修净土；善根有，固宜努力！无，尤当笃培！

汝须自知好歹，修行要各尽其分，潜修默契方可！急急改过摄心念佛！

李叔同作品精选 · 空门奇瑰

君子之交，其淡如水。执象而求，咫尺千里。问余何适，廓尔亡言。华枝春满，天心月圆。

华枝春满，天心月圆。其谢与缺，罔非自然。至人参化，以入涅槃。此境胜美，亦质亦玄。

悲欣交集，遂与世绝。悲见有情，欣证悼悦。一贯真俗，体无差别。嗟哉法师，不可言说。

——叶圣陶

竹园居士幼年书法题偈

文字之相，本不可得。以分别心，云何测度。

若风画空，无有能所。如是了知，乃为智者。

竹园居士，善解般若，余谓书法亦然。今以幼年所作见示，叹为玄妙。即依是义，而说二偈。癸酉正月，无碍。

马冬涵居士《三异图》题偈

非三而说三，了三即是一。亦未可云同，那复分别异。

冬涵居士画三异图，为题此偈，亡言。

灵岩山印光真达二老像题词

灵岩中兴，厥惟二老。缵述有人，绍隆永保。披图寻览，若觌高贤。愿兹绘卷，奕叶绵传。

丁丑夏五月，沙门一音。

题郑翘松《卧云楼诗存》

一言一字，莫非实相。周遍法界，光明无量。似镜现像，若风画空。如斯妙喻，乃契诗宗。

题王梦惺居士《莱园文稿》

文以载道，岂唯辞华。内蕴真实，卓然名家。居士孝母，腾誉乡里。文章艺术，是其余技。士应文艺以人传，不应人以文一艺传。

至哉斯言，居士有焉。庚辰仲秋，晚晴老人。

题永春胜闻居士《淡斋画册》

镜花水月，当体非真。如是妙观，可谓智人。

胜闻居士以画册呈赠东华法师为说是偈书冠卷首。亡言。

地藏菩萨《九华垂迹图》赞

前言

壬申仲冬，余来禾岛，始识世侯居士。时方集录《地藏菩萨圣德大观》。居士割提沥血，为绘圣像，捧持入山。余感其诚，因请续画《九华垂迹》。尔后世侯往青阳觐礼圣迹，复游钱塘富春。逮于四月，藻绘已讫，余为忭喜，略缀赞词，并辑一帙。冀以光显往迹，式酬圣德焉耳。于时后二十二年岁次癸酉闰五月，住温陵大开元寺尊胜院结夏安居。大华严寺沙门弘一演音。

一、示生王家

佛灭度后千五百年，地藏菩萨降迹新罗王家。姓金，名乔觉。躯体雄伟，顶耸奇骨。尝自诲曰："六籍寰中，三清术内。"唯第一义与方寸合耳。赞曰：

天心一月，普印千江。菩萨度生，遍现十方。

此土垂迹，盖惟唐代。示生新罗，王家华裔。

幼而颖悟，力敌十夫。披弘誓铠，戴智慧珠。

二、航海入唐

唐高宗永徽四年，菩萨二十四岁（今列纪年，依《神僧传》。较《宋高僧传》先六十余年，良由传闻有异，纪载乃殊耳），落发航海，入大唐国。赞曰：

示现出家，而得解脱。乃眷唐土，涉海西发。

一帆破浪，万里乘风。大哉无畏，为世之雄。

三、振锡九华

菩萨至江南池州东青阳县九华山，而好乐之，径造其峰，觅得石洞。遂居焉。赞曰：

江南山青，九华殊胜。乃陵绝顶，披榛辟径。

有谷中地，可以栖迟。在山之阳，在水之湄。

四、闵公施地

阁老闵让和，青阳人，九华山主也。菩萨向乞一袈裟地，公许之。衣张，遍覆九华，遂尽喜舍。公子求出家，名曰道明。今圣像左右侍者，道明及闵公也。赞曰：

大士神用，不可思议。遍覆九华，一袈裟地。

檀那功德，奕叶垂芳。常侍大士，庄严道场。

五、山神涌泉

菩萨尝为毒螫，俄有妇人作礼馈药云："小儿无知，愿出泉资用。以赎其过。"妇，山神也。赞曰：

九华山中，有泉甘冽。匪以人力，而为浚渫。
翳昔山灵，点石神工。清流潺潺，萦带高峰。

六、诸葛建寺

村父诸葛节，率群老自麓登高，见菩萨独居石室，有鼎折足，以白土和少米烹食之。相惊叹曰："和尚如斯苦行，我等山下列居咎耳。"遂共建寺。不累载，成大伽蓝。赞曰：

空山无人，云日绮靡。村老寻相，采幽戾止。
乃构禅宇，龙角宝梁。胜境巍巍，普放大光。

七、东僧云集

新罗国僧众闻之，相率渡海请法。其徒且多，食有未足。菩萨乃发石得土，色青白，不碜如面，聊供众食。赞曰：

化协神州，风衍东国。缁伍云集，禀道毓德。
有法资神，无食资身。号枯槁众，为世所尊。

八、现入涅槃

玄宗开元二十六年（《宋高僧传》作德宗贞元十九年），七月三十夜，召众告别，加趺示寂。时山鸣石陨，扣钟嘶嘎，群鸟哀啼。春秋九十九。赞曰：

法身常住，言相悉绝。随众生心，示现生灭。

化事既息，应尽原还。灵场终古，永镇名山。

九、浩立浮图

肃宗至德二年，示寂后二十岁，建塔南台。塔成，发光如火，因名岭曰神光。赞曰：

树窣渚波，供养舍利。法化常存，真丹圣地。

神光岭表。青阳江头。灵辉仰瞻，万祀千秋。

十、信士朝山

菩萨垂迹九华，迄今千载。信心缁素，入山顶礼者，接踵而至，岁无虚日焉。赞曰：

慈风长春，慧日永曜。此土缘深，常被遗教。

若川趣海，若星拱辰。万流稽首，四方归仁。我抒颛毫，式扬圣业；以报慈恩，而昭来叶。

一切功德，回施含灵；同生安养，共利有情。

西泠华严塔写经题偈

十大愿王，导归极乐。华严一经，是为关阖。

大士写经，良工刻石。起窣堵坡，教法光辟。

深心随喜，功德难思。回共众生，归命阿弥。

《护生画集》题赞

李（圆净）、丰（子恺）二居士，发愿流布《护生画集》，盖以艺术作方便，人道主义为宗趣。每画一叶，附白话诗，选录古德者十七首，余皆贤瓶道人补题。并书二偈，而为回向。

我依画意，为白话诗。意在导俗，不尚文词。

普愿众生，承斯功德；同发菩提，往生乐国。

《护生画集》题词

一、众生

是亦众生，与我体同。应起悲心，怜彼昏蒙。普劝世人，放生戒杀。不食其肉，乃谓爱物。

二、生的扶持

一蟹失足，二蟹持扶。物知慈悲，人何不如！

三、今日与明朝

日暖春风和，策杖游郊园。双鸭泛清波，群鱼戏碧川。为念世途险，欢乐何足言。明朝落网罟，系颈陈市廛。思彼刀砧苦，不觉悲泪潸。

四、母之羽

雏儿依残羽，殷殷恋慈母。母亡儿不知，犹复相环守。念此亲爱情。能勿凄心否？

《感应类钞》云："眉州鲜于氏，因合药碾一蝙蝠为末。及和剂时，有数小蝙蝠，围聚其上，面目未开，盖识母气而来也。一家为之洒泪。"今略拟其意，作母之羽图。

五、亲与子

今日尔吃他，将来他吃尔，循环作主人，同是亲与子。

参用宋黄庭坚诗句。日本风俗有以鸡肉与卵，置于饭上而食之者，名亲子井。亲谓父母，子谓儿女。井者，彼邦俗解，谓是陶制大碗也。鸡为亲，卵为子，以此二物，共置碗中，故曰亲子井。

六、仁兽

麟为仁兽，灵秀所钟。不践生草，不履生虫。繄吾人类，应知其义。举足下足，常须留意。既勿故杀，亦勿误伤。长我慈心，存我天良。

儿时读《毛诗·麟趾章》。注云：麟为仁兽，不践生草，不履生虫。余讽其文，深为感叹。四十年来，未尝忘怀。今撰护生诗歌，引述其义。后之览者，幸共知所警惕焉。

七、儿戏

教训子女，宜在幼时。先入为主，终身不移。长养慈心，勿伤物命。充此一念，可为仁圣。

八、沉溺

莫谓虫命微，沉溺而不援，应知恻隐心，是谓仁之端。

九、暗杀

若谓青蝇污，挥扇可驱除。岂必矜残杀，伤生而自娱。

十、诀别之音

落花辞枝，夕阳欲沉，裂帛一声，凄入秋心。

十一、生离欤死别欤

生离尝恻恻，临行复回首，此去不再还，念儿儿知否。

十二、倘使羊识字

倘使羊识字，泪珠落如雨。口虽不能言，心中暗叫苦！

十三、乞命

吾不忍其觳觫，无罪而就死地。普劝诸仁者，同发慈悲意。

十四、农夫与乳母

忆昔襁褓时，尝啜老牛乳。年长食稻粱，赖尔耕作苦。念此养育恩，何忍相忘汝！西方之学者，倡人道主义，不啖老牛肉，淡泊乐蔬食。卓哉此美风，可以昭百世！

十五、不众

景象太凄惨，伤心不忍睹，夫复有何言，掩卷泪如雨。

十六、喜庆的代价

喜气溢门楣，如何渗杀戮。唯欲家人欢，那管畜生哭！

十七、残废的美

好花经摧折，曾无几日香，憔悴剩残姿，明朝弃道旁。

十八、生机

小草出墙腰，亦复饶佳致，我为勤灌溉，欣欣有生意。

十九、囚徒之歌

人在牢狱，终日愁欷。鸟在樊笼，终日悲啼。聆此哀音，凄入心脾。何如放舍，任彼高飞。

二十、投宿

夕日落江渚，炊烟起村墅，小鸟亦归家，殷殷恋旧主。

二十一、雀巢可俯而窥

人不害物，物不惊扰。犹如明月，众星围绕。

二十二、诱杀

水边垂钓，闲情逸致。是以物命，而为儿戏。刺骨穿肠，于心何忍，愿发仁慈，常起悲愍。

二十三、倒悬

始而倒悬，终以诛戮，彼有何辜，受此荼毒。人命则贵，物命则微。汝自问心，判其是非。

二十四、尸林

见其生不忍见其死，闻其声不忍食其肉。应起悲心，勿贪口腹。

二十五、开棺

恶臭陈秽，何云美味，掩鼻伤心，为之堕泪。智者善思，能毋悲愧。

二十六、蚕的刑具

残杀百千命，完成一袭衣，唯知求适体，岂毋伤仁慈。

布葛可以代绮罗。冬畏寒者，宜衣驼绒以代丝棉。

二十七、昨晚的成绩

是谓恶业，何谓成绩。宜速忏悔，痛自呵责。发起善心，勤修慈德。

二十八、惠而不费

勿谓善小，不乐为之。惠而不费，亦曰仁慈。

二十九、醉人与醉蟹

肉食者鄙，不为仁人；况复饮酒，能令智昏。誓于今日，改过自新；长养悲心，成就慧身。

三十、忏悔

人非圣贤，其孰无过。犹如素衣，偶着尘涴。改过自新，若衣拭尘。一念慈心，天下归仁。

三十一、冬日的同乐

盛世乐太平，民康而物阜。万类咸喁喁，同浴仁恩厚。昔日互残杀，而今共爱亲。何分物与我，大地一家春。

三十二、老鸭造象

罪恶第一为杀，天地大德曰生。老鸭札札，延颈哀鸣，我为赎归，畜于灵囿。功德回施群生，愿悉无病长寿。

戊辰十一月，余乘番舶，见有老鸭囚于樊，将赍送他乡，以饷病者，谓食其肉，可起沉疴。余悯鸭老，而将受戮，乃乞舶主，为之哀请，以三金赎老鸭，归属子恺图其形。补入画集，聊志遗念。

三十三、杨枝净水

杨枝净水，一滴清凉。远离众苦，归命觉王。

放生仪轨，若放生时，应以杨枝净水，为物灌顶，令其消除业障，增长善根。

《续护生画集》题偈

一　中秋同乐会

朗月光华，照临万物。山川草木，清凉纯洁。

蠕动飞沉。团緜和悦。共浴灵辉，如登乐国。

二　鹬蚌相亲

世间有渔翁，鹬蚌始相争。若无杀生者，鹬蚌自相亲。

三　归市

尔不害物，物不害尔。杀机一去，饥虎可尾。

四　凤在列树

凤鸟来仪，兵戈不起。偃武修文，万邦庆喜。凤兮凤兮，何德之美。

甲戌初夏大病说偈[①]

甲戌初夏大病，有欲延医者，说偈谢之。

阿弥陀佛，无上医王；舍此不求，是为痴狂。

一句弥陀，阿伽陀药；舍此不服，是为大错。

虞愚居士问书法妙义为说二偈

文字之相，本不可得。以分别心，云何测度。

若风画空，无有能所。如是了知，斯为智者。

① 本偈一九三四年夏作于厦门南普陀。

《印光法师文钞》题词并叙

是阿伽陀，以疗群疚。契理契机，十方宏覆。

普愿见闻，欢喜信受。联华萼于西池，等无量之光寿。

庚申暮春，印光老人文钞镌板，建东，云雷，嘱致弁词。余于老人向未奉承，然尝服膺高轨，冥契渊致。老人之文，如日月历天，普烛群品，宁俟鄙倍，量斯匡廓。比复敦促，未可默已。辄缀短思，随喜歌颂。若夫翔绎之美，当复俟诸耆哲。大慈后学弘一释演音稽首敬记。

为漳州印友题偈

金石无今古，艺事随时新。

如如实相印，法法显其真。

今晨焚香礼佛已，慧康童子持呈一函，乃芗江居士征余文。居士精篆刻，余不谙艺术及世间文字，未能为一词之赞，爰拈此偈，以志忻喜。温陵清心洁己堂沙门昙昕于二月后一日。

李卓吾像赞①

由儒入释，悟彻禅机，清源毓秀，万古崔巍。

辞世二偈

君子之交，其淡如水。执象而求，咫尺千里。

问余何适？廓尔亡言。华枝春满，天心月圆。

---

① 本赞一九三八年春作于家州承天寺。

图书在版编目（CIP）数据

李叔同作品精选 / 李叔同著 .– 武汉 : 崇文书局 ,2016.1
（永不泯灭的文学经典）
ISBN 978-7-5403-4082-7
Ⅰ . ①李…
Ⅱ . ①李…
Ⅲ . ①中国文学–现代文学–作品综合集
Ⅳ . ① I216.2
中国版本图书馆 CIP 数据核字 (2015) 第 263594 号

永 不 泯 灭 的 文 学 经 典

李叔同作品精选

责任编辑　刘丹
出版发行　崇文书局
地　　址　武汉市雄楚大街 268 号 C 座 11 层
印　　制　湖北恒泰印务有限公司
邮政编码　430070
开　　本　700 毫米 ×1000 毫米 1/16
印　　张　18.5
版　　次　2016 年 1 月第 1 版
印　　次　2016 年 1 月第 1 次印刷
定　　价　37.00 元

（如发现质量问题，影响阅读，请与承印厂调换）

崇文书局官网　崇文书局淘宝直营店

崇文书局官方网站：www.cwbook.cn
崇文书局淘宝直营店：www.chongwenshuju.tao.com